吴园传奇

北望长安系列丛书

杨军 高厦 著

中国国际广播出版社

泰伯庙

泰伯庙位于江苏无锡梅里，是后人为纪念吴国始祖泰伯而建。

西施雕像

孙武像

勾践卧薪尝胆

伍子胥雕像

断发文身

『断发文身』是司马迁对早期吴人风俗的形象概括。

季札挂剑木雕

季札是吴王寿梦的第四子，寿梦有意传位于他，他却拒辞不受，一心向学。季札不仅品德高尚，而且具有远见卓识，是孔子最推崇的贤人。

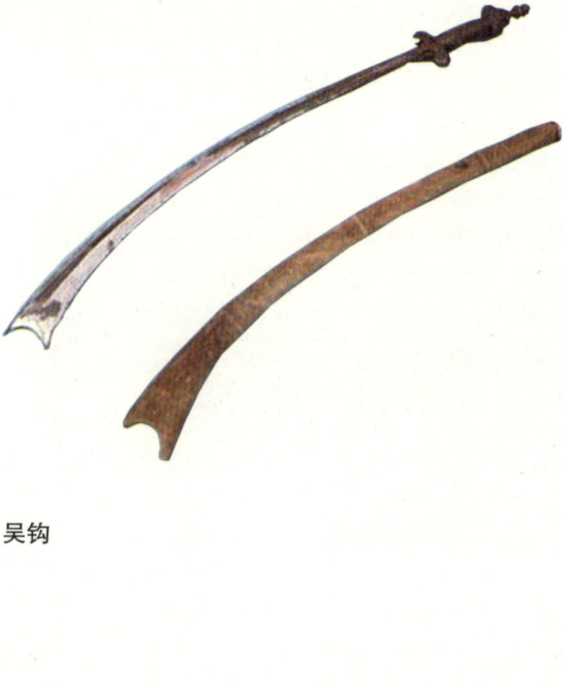

吴钩

吴王夫差矛

阖闾城遗址出土文物

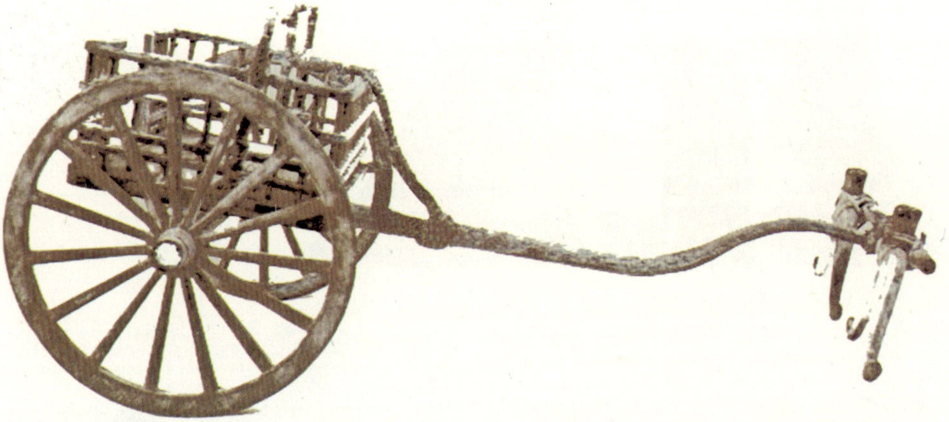

春秋战车模型

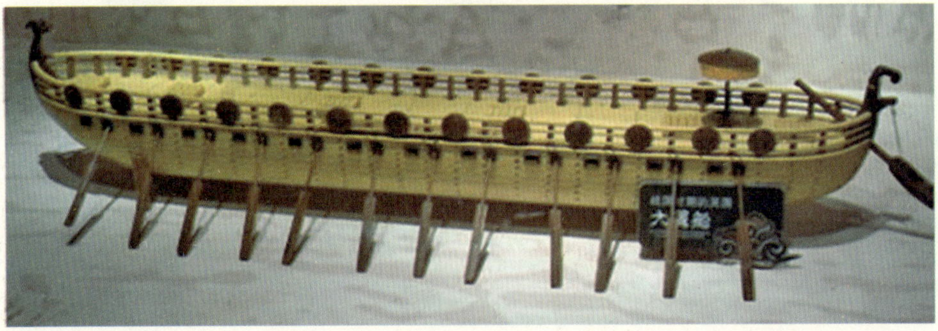

大翼战船模型

大翼战船首创于吴国，是春秋时期体型最大的战船，也是我国最早出现的战船。

目　录

泰伯之奔荆蛮、自号句吴、荆蛮义之、从而归之者千余家、立为吴泰伯。

——《史记·吴泰伯世家》

第一章
发轫：吴国的起源

公元前771年，中国的历史发生了重大的变化。地处周朝版图西方的犬戎攻破了西周的都城镐京（今陕西西安），杀死了西周史上最后一位君王——那个曾经为了博得美人褒姒一笑而烽火戏诸侯的周幽王。次年，周幽王的儿子，年仅11岁的周平王被诸侯保护着将都城迁至洛邑（今河南洛阳）。这一事件将周朝的历史切割成西周和东周两个部分。这一历史节点同时标志着周天子的威信大大下降，从此对诸侯的管理逐渐形同虚设。后来儒家学派创始人，被后世誉为“至圣先师”的孔子，在编订鲁国史书的时候，给这段时期起了个名字，叫做“春秋”。

中国的历史于是进入了各诸侯之间互相残杀、弱肉强食的“春秋时期”。在这个特殊的历史阶段，涌现出了一批拥有特殊地位的诸侯，他们被称为“霸主”。所谓“霸主”，实际上有着代替周王室调解纠纷的作用，因为虽然各国开战，但大家毕竟都是华夏民族的文明人，溯本追源，大家毕竟血脉相连。各国之间并不可以无理由、无目的地互相征战、讨伐。可是事情总会有例外，没有道义的事情还是会出现，当某一个大国依靠着强大的军事力量欺负人的时候，就要有人出面主持公道，这个人就是霸主。“霸主”是大家公选出来的，就是可以调解这种“国际纠纷”的那个诸侯。

在春秋这段近300年的历史上，一共出现过五位“霸主”，后人合称为“春秋五霸”。他们分别是：齐桓公、晋文公、楚庄王、吴王夫差和越王勾践。这五位虽说是五个人，但实际上是指五个国家，因为一个国家的兴衰不可能完全归功于某一个人。我们所要说的这段历史，就是关于这“春秋五霸”当中的吴国。吴国地处今天的江苏一带，在春秋时期属于“蛮夷之地”。西周时期所谓“中原地区”的主要版块是东至山东半岛、西至陕西之黄河流域附近的地域，吴国是处于这个范围之外的，所以被中原人认为是没有文明、未开化的地方，故叫做“蛮夷”。直至今天，在北方的某些地区还习惯性地称呼南方人为“南蛮子”。但蛮夷归蛮夷，虽远离中原文明，吴国却有着自己的骨气、自己的精神。它最初建立的时候，十分弱小，人口稀疏，自然环境恶劣。可就是这样一个“蛮夷之国”，经过几代人的努力，最终一举成为了可以“号令”中原各国的“霸主”。

一、荒地开花：吴国雏形初现

太史公司马迁所撰写的《史记》，是中国第一部纪传体通史，是《二十四史》中的第一部。在这部重要的历史典籍当中，有十二卷《本纪》是描写皇帝的，三十卷《世家》是描写对历史有着杰出贡献的各诸侯国的，而在《世家》中第一个写到的就是吴国老祖宗的故事，这一卷叫做《吴太伯世家第一》。吴太伯是指一个人，史书上对他名字的记载就是“太伯”，也有的书中记为“泰伯”，好像“太伯”这一称呼看起来更像是辈分，而“泰伯”就像人名多一些，所以下面我们提到他的时候称“泰伯”。这个人是周朝开国之君周武王的“伯公”，也就是周武王他爷爷的哥哥。因为泰伯的辈分实在太高，而且据说是他把王位让给了他的弟弟，也就是周武王的爷爷、文王的父亲，才有了周朝的历史，所以，太史公才把这位吴国的祖先排在了《世家》的第一位。

传说商王朝时期，西伯君主古公亶父是一位英明的君主，他不忍自己的族人与戎狄开战，便率领部落迁徙到了岐山这个地方。因为广施仁政，令不少部落归附，并且让部落的人民生活富裕，粮食充足，依此打造了“周”的原始班底。古公亶父丰功至伟，可在选择继承人的时候却发生了点儿问题。

亶父一共有三个儿子：泰伯、仲庸和季历。三个儿子当中，论才能小儿子季历最厉害，亶父本人也最喜欢自己的这个小儿子。古公亶父喜欢季历还有一个更大的原因，就是他更喜欢自己的孙子，也就是季历的儿子。季历的儿子了不得，他的名气远远超过了他的父亲和爷爷，他是孔圣人口中的“圣贤”之人，他就是周文王姬昌。所以，亶父十分想把继承人的位子传给季历，但问题是当时已经有立长子为继承人的习惯了，这该如何是好?

深明大义的长子泰伯，做出了一个伟大的壮举，从而解决了父亲的顾虑。他与二弟仲庸商议后决定，既然他们两人的才能都不如老三，为了整个部族的发展，二人何不主动让位于三弟?泰伯是真心为了父亲和弟弟好，他又考虑到靠这种让位的方法可能让三弟的江山不稳固，大家不服从三弟的调遣，于是他们哥俩决定来个狠一点的了断，干脆借着帮父亲到山中寻找草药的名义，离家出走，好让三弟能顺理成章地继承王位。

二人既然打定了主意要离开，就要远走高飞，越远越好。他们带上自己部落的一些人马，远远地离开了周人的部落，一路南下，来到了荒蛮、原始、罕有人烟的吴地，在这块地方驻扎了下来，伐木造物，开垦荒地，蓄养牲畜。这块地方在兄弟二人的打造下，慢慢地形成了一个新的区域，一股新的力量，而附近的原始部族见到这股新势力的很多农业、科技是他们从来没有见过的，也对他们产生敬仰之心，纷纷投靠到泰伯、仲庸的部落当中。这便是吴国最早的雏形，虽然还很原始，还有很多地方不完善，但终究算是一个新的政权或者叫部族诞生了。

据说后来古公亶父去世的时候，兄弟二人不知如何得到了消息还回过周地一趟，可并没有与弟弟讨论王位继承的问题，而是参加了父亲的葬礼之后又匆匆地赶了回来。这段故事后来孔子在《论语》当中提到过："泰伯，其可谓至德也已矣，三以天下让，民无得而称焉。"可见，孔子对泰伯的事迹十分敬仰，认为泰伯的身上具有无上的德行。

为了保护自己的人民、财产，也为了抵御外族的入侵，泰伯、仲庸兄弟二人还依照周国的方式修建了城池。修城池的这个地方叫做"梅里"，相传就是今天的江苏梅里，泰伯去世后就葬在这个地方。

泰伯去世以后，仲庸继承了哥哥的王位，而后又传给自己的儿子。吴国的领导人从此"父死子继"，一辈一辈地传了下去。所以严格来说，后来历任吴王的血脉都应该追溯到二弟仲庸的身上，而并非泰伯本人。

二、追根溯源：禅让？避祸？分封？

不同的史料对于同一历史问题总是有着不同的看法，而历史学家们以不同的史料为依据，会对同一历史事件有着不同的观点和看法，形成不同的学派。有时候，甚至参看同样一份资料，由于每个人的思维方式不同，看待问题的角度不同，也会有着不同的猜测。关于泰伯、仲庸二人离开周人部族，南下建立新政权的真正目的自古以来就有着很多猜测。传统禅让的说法主要来自于《论语·泰伯》、《史记·吴太伯世家》以及《吴越春秋·吴太伯传》这些典籍当中的描述。可除了这种比较流行的说法以外，对于泰伯、仲庸迁徙的目的至少还有两种猜测。

以《左传》当中的思想为代表的一派学者认为，泰伯、仲庸离开周部族的真正目的，是为了躲避灾祸。当时，古公亶父想要将王位传与老三季历的想法已经很明确，而季历虽然是最小的，但在周部族当中的威望及呼声却很高。假若泰伯、仲庸二人不主动出走让位，很可能被族人弹劾，如果再被一些小人从中挑唆，则很可能陷入政治漩涡当中而无法自拔。另外，我们也不能排除二位本就有心争夺王位的想法，历史的真相也不排除这种可能：二位已经参加了这场政治斗争，结果失败，所以才出逃。持这种观点的学者们主要有这样几个论据：首先，中国历史上的确有过君主禅让的案例，但尧舜禅让王位的年代距离泰伯、仲庸已经相隔了上千年，从夏启开创夏朝，君主专制的巨大诱惑勾起了人们无限的欲望，历代君王为了争夺王位经常会有你死我活的斗争，却极少再有禅让的事迹出现。泰伯若不是圣人，很难做出主动让位的行动。第二，如果泰伯、仲庸二人真的只是想要让位，他们完全没有必要跑到离中原地区那么遥远的吴地去。在那个地广人稀的年代，他们大可以在周部族附近，或者是稍稍远离但还不离开文明地区的地方建立新的部族。第三，泰伯、仲庸出走的时候没有告诉父亲和弟弟，但又带走了很多族人，这样的行动看起来更像是逃跑而不是正常的出走。

另一派以《穆天子传》及《诗经·鲁颂·闷宫》当中的观点为代表的看法则比较离奇，认为泰伯、仲庸的出走是一次战略性迁徙。周族强盛的这段时间，其实也是商王朝衰落得最快的时候，当时的周部族虽然还不敢与商王朝较量，但已经有野心想要推翻商王朝的统治。以当时周族的地理情况来看，他们如果想要出兵去攻打商王朝的都城朝歌，中间要经过很多诸侯国，能否争取到这些诸侯国的认同，周人心里没底。但如果在南方建立根据地，则可以避开周地与商王朝都城中间的这些大大小小的部族，直插商王朝的心脏。而且，多了一块地盘，可以大大地加速人口、经济的发展，从而快速增强自己的实力，为日后做好准备。

不得不承认，这三种看法都各有各的依据，都不是没有道理。事实上，不论泰伯、仲庸建立吴的目的为何，有几种可能性，我们每个读者可以有自己的倾向性，读历史最大的目的在于“以史为鉴”，而对于不同的人又有着不同角度的借鉴。就好像孔子的《论语》，它的目的在于为人民树立典范，劝人向善，注重德行，太史公的《史记》也往往是在宣扬历史上的那些美好品德。事实上，孔圣人的很多历史观念也是在为自己的学说寻找理论依据，这必定会导致其对于历史事件的评判具有很多片面、主观的因素，而如果查看《史记》中“太史公曰”的部分，我们会发现太史公的某些观点亦往往是片面的，如果仔细推敲，可能有些观点还站不住脚。而《左传》则不同，这本书更多的是从谋略的角度出发，客观、清醒地看待历史事实。今天我们学习历史也是一样，从不同的角度出发去揣摩古人，可以让我们有更多的收获。

三、断发文身：吴人的早期形象

关于吴国早期的风俗、自然情况，可以发现的记载太少，即便有，也很少具有参考价值，因为那段历史距离现在太过久远，甚至文字的发展也没有到达能够普及的程度。泰伯、仲庸跑到遥远的吴地建立新的领地，发展新的势力，实在是没有精力再去书写历史。所以即便是在后人所写的史书中有发现关于吴国最早那段时间的记载，也往往是后人根据想象描写出来的，并非历史真实情况。

值得一提的是，在《史记》当中，司马迁用了“断发文身”四个字形容当地的风俗。以当时的自然情况推测，吴人这种“断发文身”的行为很可能是真实的。简单的四个字却描绘得恰如其分，断发就是剪短了头发，文身便类似今天的文身，用利器沾着矿物或植物的颜料刺在身上绘画出图案。为什么要“断发文身”？这在当时的自然条件下是有着特殊原因和作用的，我们也可以称之为“原始的文明”。

从商朝墓葬出土的陶俑来看，商朝人的发型虽然形态各异，但不论男女，主要发式还是辫发。这个时期的男子辫发样式较多，有总发至顶，编成一个辫子，垂至脑后的；有左右两侧梳辫，辫梢卷曲，下垂至肩的；有将发编成辫子盘绕于顶的，等等。而女子更是以长发居多，有的还要在头发上加上头饰以便于造型。可吴国人是断发的，断发当然就是短发，也可能是光头。这是与中原地区的人民完全不同的一种奇风异俗，深受“身体发肤，受之父母”观念影响的中原人对于吴人为何要这么做实在是不理解。

吴地多水，水的面积几乎要大过陆地。东边临着大海就不用说了，我们看今天江苏省的地图，中间还有那么大的一个湖，叫做“太湖”。更要命的是除了海和湖，这里还布满了沼泽和细小的河流，今天的苏州还以“小桥流水”的自然地理景观而闻名世界，苏州城内的水路四通八达，小船在今天还是重要的交通工具之一。在这样多水的环境中生存，以当时吴地原始居民的生存能力来讲是充满了危险的。水的力量很奇特，上面看着风平浪静，底下很可能是暗流涌动，明明是向着一个方向流淌的水，下面又很可能有分散的力量，再加上水里面有各种各样的生物，当地人应该经常会不小心失足落水，而被水带走了生命。如果带着长长的辫子，一旦落水，其生还的可能性会大大降低，所以断发很可能在很大程度上是为了防止这类意外的发生。

在比较原始的自然观念里，他们不会知道那是暗流或是什么特殊的生物，只会因为对水的畏惧而产生敬畏，敬畏水里面有着神灵。如果人得罪了神灵，就会被水中的神灵带走生命。文身就是刺青，它的花纹是有一定意义的，即使是今天的“朋克小青年”也不可能在自己的身上乱涂乱画，这点和今天一样。所以吴人文身的图案一定也有某种意义。一种比较可靠的猜测是，当时吴地居民的文身图案象征着水神，他们祈求水神不要降下灾难，才把代表着向水神祈祷的图案文在自己的皮肤上。事实上，根据后人的总结，不光是在吴地，很多东南沿海的民族都有“断发文身”的习俗，说这个习俗和水有关系应该是最好的解释。

虽然年代久远，不可考证，但司马迁用这“断发文身”四个字形象地描绘出了吴国早期的一些自然情况以及人们的生活状态。要想在那种恶劣的自然条件下生存下来，吴人需要付出的努力要远远超过中原地区的人民。长期与自然搏斗，培养出了吴人的性格，他们好勇轻死，喜欢发狠斗勇，拿生命不当回事儿。这样的性格，使吴人在后来的很多战争中轻松获胜。吴国军队有着这样的先祖，其战斗力当然会极为强大。

四、开疆扩土：吴国早期的发展和疆域变化

从泰伯开创吴国，到后来与中原地区有交流、有文明、有文字记载的吴王寿梦时期，一共经历了十八代王。由于当时吴国政权还只是一个原始政权，人民的生活方式也极为原始，这十八代王间发生了什么大事并没有历史记载。《史记》中只是提到了这十八代吴王的名字，没有任何事迹记载。其中唯一值得一提的是第五代吴王周章。当时周天子已经伐纣成功，完成了改朝换代，忽然想起自己还有两个爷爷辈的亲人去了吴地，便派人去寻找。使者到了吴地，并找到了当时的吴王周章，将吴国正式册立为周朝的诸侯国，赐予周章伯爵爵位。至此，吴国才算正式在华夏民族的历史上有了明确地位。遗憾的是，出使吴国的这位使臣办完这件事以后就草草地赶回了周地，对于吴国当时的情形并没有更多的描写。

虽然没有文字记载，但从泰伯、仲庸到寿梦，历代吴王还是有着很大的作为的，这点从吴国的疆域变化上就可以看出来。根据考古发现，泰伯最早占领的是江南宁镇地区，这个地区在太湖东侧，西北以长江南岸为界，南至黄山、天目山一带。泰伯以此为根据地站稳了脚跟，而后便把目光放在了整个江南区域。为了占领这块完整的小平原，吴国先后吞并了朱方、淹等几个方国，形成了吴国初步的形态。

所谓“方国”，是一种相对原始的政权形式，具体点说它是指中国夏、商王朝之时出现的高于原始部落的城邦形式的政治实体。根据近年来学者们的研究，中国古代的商王朝，其本质上是一些方国与方国的联合体，彼此之间虽然有一些方面需要相互依存，达成共识，但并不是方方面面都有着同样的规定。这有点像今天“美利坚合众国”的格局，除了军事、外交、经济是中央做决定，其他方面几乎都是各州政府自行做主，甚至连教育、法律等方面各州也都有着自己的规定。根据考古学家

苏秉琦先生的研究，古代中国发展到方国阶段大约在距今4000年以前。也就是说，大概在公元前2000年前后，中国正式脱离了部落形式的原始社会，发展到一个相对发达、文明的模式。

吴国吞并了周边的几个小方国之后，算是正式占领了这块三面临水、一面临山、自然资源极其丰富的小平原。泰伯、仲庸终于可以率领那些最先归顺的原始民族，将经济模式由原始的渔猎方式改革为农耕化的生产方式。农耕是受地形局限的，尤其是生产力越不发达的时候，受到的自然环境的局限就越大。以前吴人生活在沼泽地区，即便是泰伯、仲庸再有文化，也不可能在这样的地方种田。如今占领了这样一块可以安居乐业的小平原，吴人才开始真正踏上文明之路。这群“断发文身”的蛮夷尽管距离真正的文明还很远，但终于可以摆脱食不果腹的危险了。

将这块土地治理好以后，泰伯、仲庸的子孙们就有了更大的野心。一块土地所能承受的人口是有限的，想要增强实力，就要拥有更多的人口，而当这块土地所能养活的人口达到饱和的时候，他们就开始不满足于这块土地了。吴人需要更辽阔的空间以发展自己的实力，但是对于这块三面临水一面临山的地方，想要继续扩充，就要跨过水或者越过山。于是，吴人将他们的目标投向了长江的对岸——江北地区。

20世纪中叶，根据著名历史学家郭沫若先生的推断，吴国大约在公元前700年至前680年之间灭掉了江北地区的一个小国——邗。这个国家的地理位置大约在今天江苏省扬州一带。这一军事行动使吴国在长江以北的地区建立了一个自己的根据地。秦王朝统一中国以前，在中国大陆这块版图的历史上有着这样一个习惯：当一个国家吞并了另外一个国家的时候，尤其是在占领和使用了被吞并国家的都城的时候，经常以被吞并国家的名字相称。比如，战国时韩国灭了郑国，并且迁都于原来郑国的首都，所以很多文献上就称韩国为郑国；魏国迁都于梁，也被称为梁国，魏惠王又被称为梁惠王。所以现代出土的一些春秋时期的文字资料经常会出现称吴国为邗国，称吴王为邗王的情况，而且据一些史料记载吴国早期有很长一段时间其都城的名字就是邗。

邗城的具体位置就在扬州附近。根据南京博物院、江苏省和扬州市考古工作者的多次调查，确定邗城的遗址就在今天扬州市区西北方向五里蜀冈的南沿。它的断垣残迹依然可见。根据对邗城遗址的复原可以发现，这座城分为内城和外城，内城周长约5公里，外城周长约6公里，均呈长方形。如此规模的城池在当时，对于“蛮夷之地”的吴国来说也算得上是固若金汤了。

拥有这样一座稳固的都城便减少了很多防守时的困难，于是早期的吴国加速了他们的对外扩张，又吞并了邗都周边的一些小国。

在不断吞并与侵略的过程当中，吴国也终于遇见了自己命运当中的天敌，那就是地处于吴国西边更为强大和野蛮的楚国。可能是出于保存实力的战略性考虑，可能是为了和平发展，也可能是经历过惨败，大约公元前601年，寿梦的父亲去齐在位的时候，吴国向强大的楚国称臣，成为楚国的属国。

就这样，至寿梦继位之前，吴国的疆域大概是这样的：北临郯国（今山东临沂、郯县一带），西邻钟离国（今安徽凤阳一带，楚国的臣属国），东临大海，南部则在黄山、天目山以及太湖与另一个蛮夷政权——越国划开了界限。

第二章

开化：由蒙昧走向文明

经过十几代人的努力，吴国终于初具规模，而命运也终于让他们的发展暂时停了下来，因为西边的楚国发展得比他们更快，实力更为强大。尽管历史对吴王去齐的事迹并没有什么记载，但在他执政的时期，吴国被楚国臣服，的确是一件很丢脸的事情，这也侧面说明了去齐是一位相对懦弱、没有什么作为的君主。

可历史终究要成就吴国的辉煌，泰伯、仲庸的子孙们终究不会平凡。就在吴国向楚国臣服后的十几年，吴国又诞生了一位伟大的君王。他就是去齐的儿子寿梦。他会引领吴国走上一条全新的道路。

一、文韬武略：带领吴国振兴的吴王寿梦

公元前586年，寿梦即位。这是吴国历史上除了泰伯、仲庸以外第一位有文献记载了生平事迹的王，同样也是在与中原文化隔阂了数百年以后，第一位率领吴国重新与中原文明地区产生联系的君王。寿梦是一位有着远大理想的君主，也是一位有作为的君主，他的一生几乎可以用“文韬武略”四个字来形容。

所谓“新官上任三把火”，寿梦即位以后的第一件大事，就是出兵攻打北方的郯国，并在战争中大获全胜，迫使郯国向吴国称臣。这次战争，其意义不同于吴国以往的任何一次。郯国虽不是什么强国，但它的地位却与吴国以前灭掉的那些国家有着极大的不同。郯国被认为是属于中原的国家，是当时中原第一大国、霸主国——晋的附属国之一。寿梦

的这一做法轰动了中原，不论吴国以前吞并过多少政权，那些国家都和它本身一样，是中原人眼中的“蛮夷”。“蛮夷”的事情，他们内部解决就好了，中原的各文明国家是不会插手的。但这一次郯国因为迫于吴国的“淫威”而叛变，这令当时的霸主晋国很是生气，于是晋国联合了地处山东半岛、距离郯很近的两个强国——齐国和鲁国一起讨伐郯。战争的结果我们不得而知，因为历史文献当中并没有记载。不过通过后来夫差讨伐齐国、郯国出兵相随这一记载，我们可以判断出无论这场战争的结果如何，郯国在这100多年间一直是吴国的臣属国。

顺便说一下，在春秋战国这段中国历史上相对混乱的时期，像郯国这样实力弱小但“态度良好”的小国，有的时候寿命比那些大国还要长。郯国最初是晋国的属国，后来臣服于吴，越灭吴后又臣服于越，一直到楚顷襄王十八年，也就是公元前281年，郯国依然存在。与它命运相似的还有卫国。卫国是由周公旦的弟弟康叔建立的，是周朝最早的诸侯国之一。卫国自春秋以后国力一直弱小，但却一直生存到了公元前209年，秦始皇统一中国十二年后才想起来灭了它。不知《老子》当中那句至理名言“曲则全，枉则直”是否是受到了当时这些弱国的成功案例的影响而迸发的灵感。还有那句“天下之至柔，驰骋天下之至坚”，不也正是这些弱国的生存之道吗？

寿梦的这一次出击让中原各国终于注意到，在长江下游的荒蛮地区，还有一个叫做吴，且具有相当武装实力的“蛮夷国家”。寿梦本人也因此出了名，中原各国的国君通过这一事件都认识了吴王寿梦。这在当时来说真的不见得是什么好事，因为此时距离晋文公组织诸国共伐楚国的时间并不遥远，中原各国非常不乐意看到有第二个“蛮夷”像曾经的楚国那样强盛起来，这会对中原各国构成巨大的威胁。别看中原各国自己经常打得死去活来，但此时他们还是以中原文明大国自居，当面对外敌的时候，他们还是能够有效地团结起来一致对外的。

晋国人很郁闷，郯国的背叛让他们感觉自己这个黑帮大哥被一个初出茅庐的小混混捅了一刀。可是面对这一耻辱，晋国人的反应却很出人意料，事实上历史上的晋国总是不按照套路出牌。按理说自己的属国被打，晋国首先的反应应该是愤怒以及找吴国报仇才对，可是聪明的晋国人来了个脑筋急转弯，他们马上意识到这个荒蛮的吴国很可能成为自己的盟友，并可以为我所用，与自己联合起来一起夹击自己强有力的对手——楚国。

这个选择可能来源于中国传统上很实用的“远交近攻”这一策略。吴国毕竟离自己太远，如果出兵讨伐吴国，不但路程太远，必定会耗费大量的人力物力财力，得不偿失，更重要的是一旦国家主力军队远征，楚国、秦国这两个早就看着晋国不顺眼的家伙很可能趁着他们国内空虚而偷袭晋国。如果那样的情况发生，晋国人就真的惨了。想到这儿，晋国开始筹划怎样拉拢吴国成为自己的盟友，可以说这在不久的将来是一个相当成功的战略部署。这大概是中国最早的“师夷长技以制夷”了吧。可是令晋国人没想到的是，他们的这一举动虽然眼前看着是收益颇丰，但在相当长一段时间的未来，他们是亲手为自己培养了一个强大的对手，这个对手最终会强大到夺走自己“霸主”这块金字招牌。

放下晋国人的谋略暂且不提，寿梦的作为还远远不止如此。寿梦新官上任的第二把火是朝贡周朝、出访鲁国。如果说攻打郯国的目的是为了扩充领土，增强经济与军事实力，那么此次出行的目的则是为了学习文化，增强国民素质。

在春秋时期，对于一个地处荒蛮的英雄或者国家来说最最诱人的不是黄金白银、玛瑙翡翠，也不是辽阔的土地、兴旺的人口，更不是绝世的美女和强劲的军队，这些都可以通过战争手段掠夺而来，而唯一无法掠夺的，就是中原地区的文化。楚国争霸中原、吴国后期的北上，以及越国称霸以后的迁都，都是为了向中原靠拢。中原永远是他们梦寐以求的地方，能够在中原地区拥有一块落脚之地，比在荒蛮地方给他一座城池都重要。

这和今天一样，一个从小学习不好，被人嘲笑的人，突然有一天抓住商机，成为暴发户，甚至再摇身变成了企业家，他可以拥有以前所得不到的各种物质条件。他可以坐享别墅豪宅、名车名表，可这些东西不可能永远刺激他的精神。当有一天他发现自己内心的空虚根本无法用物质来满足的时候，就会产生对文化的向往。这可能令他感觉很奇怪，以前自己最看不起的就是什么“文化”了，真金白银才最重要，可是，真正的精神就是无法被物质所填充。于是，他也附庸风雅起来，也喜欢把自己打扮得像个文化人，最起码在外表上让自己看起来更有文化，更有地位一些。这样的行径，存在于今天，也存在于遥远的春秋时期。吴王寿梦的高明之处在于在自己还没有真正暴发起来之前就意识到了这个问题，于是他开始了自己的中原之行。

据说，寿梦不仅自己来到周朝学习文化，还带上了他最喜爱也是内定继承人的小儿子——季札。父子二人尽管来自“蛮夷”，但因为根正苗红，祖上泰伯、仲庸就连周文王也要喊大伯、二伯，所以受到了当时的周天子——周简王的亲切接见。周简王的一生虽然贵为天子，但实际上却很无奈，他是周定王之子，在位仅14年。他上位的时候，周朝的天威已经荡然无存，可以说他就是一个活着的“摆设”。大家表面对他十分恭敬，可实际上却管不了任何人，所以说周简王和那些物质满足、精神空虚的人们是一样的。当然，在名义上大家还都是周天子的臣子，那句“溥天之下莫非王土，率土之滨莫非王臣”在当时还是具有法律效力的。

当寿梦踏入简王王宫的那一刻，周简王甚至对他产生了一种惺惺相惜的感觉，虽然两人有着极大的差异，但周简王总觉着他们本质上很相像，两个人在某一个方面都有着极大的空虚感。寿梦是个掌握实权的蛮夷诸侯，他向往文化，向往被人崇敬，而周简王就是天底下最最尊贵的人，也是最有文化的人，虽然实际上没有任何权力。

其实吴王寿梦的故事早就传到了周简王的耳朵里，他虽然没有实际的权势，但对于天下发生的事情还是了如指掌的。寿梦攻打郯国，周简王是在心里暗暗高兴的，因为攻打郯国就是不给晋国面子，而晋国一家独大，根本不把自己放在眼里。周简王对晋公早就恨得牙根痒痒，只不过表面上还要装作很欣赏他的样子。所以寿梦在某种意义上相当于为周简王出了一口气，这就更加拉近了彼此的距离。

论辈分，周简王喊寿梦叔叔，这标志着周朝的中央政府再一次确认了吴国作为周朝诸侯国的合法地位，这对于吴国来说，也算是具有重大历史意义的一件事了。当然，实际上两人的辈分很难论，因为这中间双方各经历了几代人很难算得清楚，周简王那边当然好算，可寿梦这边就太难了。但寿梦的祖上毕竟要追溯到泰伯身上，而周简王则是追溯到周武王身上，或者，再远也只会追溯到周文王身上，而周文王要叫泰伯一声大伯，所以周简王也就甘愿叫寿梦一声叔叔了。二人一攀谈，据说聊得不亦乐乎，但实际上双方是很难沟通的，因为寿梦讲的是地地道道的吴地方言，而周简王说的当然是当时标准的“普通话”，所以二人聊天的时候很可能是中间还得有一个翻译，不过，想在简王身边找一个能够完全听懂吴语的翻译恐怕也很难，因为在此之前周王朝几乎没有人到过吴国，吴国也从未派使臣去过周地。总之，无论实际的历史情况如何，在二人愉快的交流后，寿梦父子又被周简王派人护送着来到鲁国，学习礼制和乐制。

在周朝，礼乐制度是治国之根本，这也是战国时期各国之间打得不可开交之时仍没有人主动去推翻周朝，却还要尊敬周朝的原因。孔子还专门为这两门学问制定了《礼经》和《乐经》，并把此二门学问列入“六艺”之中，是孔门弟子的必修课。那么究竟什么是礼，什么是乐？

所谓“礼”和今天的礼仪、礼节是两码事儿，“乐”和今天的音乐也风马牛不相及。简单点说，周公旦制定的礼，其实是一种划分等级、阶层的工具。举个例子来说，天子观看歌舞表演，可以享受“八佾”，也就是八行八列，共六十四人的歌舞团队表演；诸侯享受“六佾”，也就是六行六列，共三十六人；卿、大夫阶层享受“四佾”，就是四行四列，共十六人；士享受“二佾”，共四人。礼在正常情况下是不可以被逾越的，否则就是不可饶恕的罪刑。孔子有一句名言流传至今——“是可忍，孰不可忍”，孔子当时说这句话，就是因为鲁国某位大夫在家里观看了六十四人的歌舞表演，把孔老夫子气晕了。再比如，不同阶层在祭祀的时候规模也有区别，天子用“太牢”，就是要有猪、牛、羊三牲，而诸侯用“少牢”，这里面不能用牛，只用猪、羊。士阶层或者富裕的平民只能用猪祭祀，这个叫“牢”。后来寿梦的玄孙吴王夫差想要称霸的时候，跟鲁国找茬索要“百牢”，闹了一个天大的笑话，把鲁国人弄得很无奈也很没有面子。这便是礼制，它清晰地区分了人与人之间的等级，并且让处在不同阶层的人们各安其位。

而“乐”的作用相对复杂，在某些方面，“乐”可以理解为是“礼”的一部分。孔子所作的《乐经》已经失传，在传下来的《礼经》当中有一篇叫做《乐记》的文章，说的就是“乐”作为“礼”的一部分所起的作用。比如说，当时的贵族家庭里面要准备不同的乐器，用于迎接宾客。在春秋时期的贵族阶层当中，去别人家串门，主人打开门以后第一件事儿是要奏乐。这奏乐还有讲究，针对来访客人的级别、年龄、社会地位的不同，演奏所用的乐器、演奏的乐曲都有区别。比方说接待比自己级别高的客人，可能要用琴演奏，而接待自己平级或者比自己职位低的人，可能就用打击乐。此外，打击乐和打击乐之间也有等级的区别，比如钟的级别要高于鼓，等等。由此看来，失传的《乐经》有可能跟这些过于复杂的规矩有关系。

“乐”的第二个作用是树立仪轨。比如，在不同的场合，乐队的规模、演奏的曲目肯定是不一样的，像天子登基、祭祀这类重大活动，所演奏的曲目必须是庄严肃穆的，而结婚的曲目必须是喜庆的。另外像军队出征等大规模集体活动的时候，还有特定的礼乐规定。简单点说，就是做什么事唱什么歌，立个规矩，渲染气氛。

“乐”的第三个作用和今天差不多，就是享受和娱乐。这个作用看起来简单，实际上是有其深远含义的。因为享受和娱乐可以调解不同阶层的矛盾，换句话说，尽管在“礼”的方面不可以逾制，但在娱乐方面大家可以一起享受。在春秋时期，社交活动的形式和今天不太一样，今天的中国人聚在一起往往以吃饭为依托，西方人则多以酒会的形式相聚。而在春秋时期，吃饭、喝酒都是相对次要的，他们有一个更加高雅而且健康的聚会主题，那就是听“音乐会”，看歌舞表演，当然，这样的聚会往往局限于贵族阶层，平民阶层每天都忙着干活、当兵、耕种，没有那么多闲暇时间用来消遣。在当时的贵族家庭中，往往都备有自己的歌舞团队，团队的规格要遵循制度，不能超越周礼的规定。更值得一提的是，由孔子编订的《诗经》里面的每一首诗在当时都是有调的，可以吟唱出来，《诗》是“乐”的重要组成部分。

这些便是周朝的礼乐制度的大体形式和作用。顺便还要说一下，制定这些礼乐的人是周公，姓姬名旦，又被称为“周公旦”，他是周武王的弟弟，周文王的第四个儿子。周武王去世的时候，继位的周成王年纪尚幼，于是本来被封在鲁地的周公并没有赶赴鲁国，而是留在周地主动担当起了摄政王的角色。这一行为在当时的王室内部引起了轩然大波，很多人认为周公是趁机阴谋篡权，事实上周公若想篡位也极其容易，他在朝中手握重权，况且本身就是周武王的弟弟，废掉年幼的侄子对他来说简直是易如反掌。然而《尚书大传》当中的一段记载反映了周公摄政时期他都做了什么：“一年救乱，二年克殷，三年践奄，四年建侯卫，五年营成周，六年制礼作乐，七年致政成王。”可见，周公摄政期间做成了很多有助于周朝发展的大事，而且在第七个年头，也就是周成王十二岁时又将朝政交还给了周成王。有了周公奠定的基础，周朝在周成王及其子周康王的治理下社会安定、百姓和睦、经济发达，这段时期在历史上也被称为“成康之治”。周公功成身退，面对巨大诱惑仍不为所动的美德一直被后世传扬，他是孔子最推崇的圣人之一。

寿梦父子来到鲁国，彻底开了眼界，没想到治理一个国家还可以依靠这样的手段！尤其是寿梦的儿子季札，他接触到了礼、乐之后，便着了魔，终其一生研究这两样东西。寿梦父子把礼、乐这两个文明的代名词带回了吴国，这是寿梦在位时期对吴国文化方面所做出的重大贡献。当然，这两人只是象征性地把礼、乐带回了吴国，实际上从后来的发展来看，这两样神奇的东西并没有给吴国带来太大的影响，可能因为吴国的贵族们受教育的程度实在太差，实在欣赏不了这么高雅的玩意儿。另外，这一次出行除了收获之外也留下了一个后遗症，就是小儿子季札从此迷上了文化，多年以后他成了一位深谙礼乐的文化人，但也从此对继承王位这件事失去了兴趣。

二、天上掉馅饼：晋国人主动来教军事

在寿梦以前，吴国的军事力量一直是以水军为主。这主要是由自然地理条件决定的，吴国起家时占领的第一块土地就是三面临水一面靠山的平原，而后又跨长江作战，这些战争需要的都是水军。其战争中的打法也以水军的作战方式为主。我们甚至可以由此产生一种猜测，寿梦的父亲去齐向楚国人称臣很可能与此有关，因为楚国对吴国发动战争很可能是在陆上作战，吴国这样的军队构架显然有着极大的弊端和地理束缚，第一无法有效地防御来自陆地方向的进攻，第二也无法向有水区域以外扩张。然而，一个与楚国有仇的楚国人帮助吴国解决了这个军事方面的难题。他的名字叫做申公巫臣。

申公巫臣姓屈，通过这个姓大家就可以看出他是楚国的大贵族，和后来的楚国大名人屈原同姓。他前半辈子在楚国混得不错，官职很高，也很受楚庄王的器重。可是申公巫臣的性格很奇怪，他这个人城府很深，做事情极有手腕，最奇怪的还要数他的爱情观和审美观，他深深地爱上了比自己大了十多岁，来自战败国陈国的俘虏——夏姬。倒霉的

是，楚庄王也看上了这个徐娘半老却又倾国倾城的女人。于是，申公巫臣设下了一个通天阴谋，辗转拐走了自己的心爱之人，逃亡到了晋国，做了晋国的大夫。

事情的来龙去脉是这样的：夏姬本是郑国郑穆公的女儿，生得娥眉凤眼、俏目桃腮，少女之时便极具风流韵味。更有传说她在十几岁的时候便梦见一位伟岸异人，星冠羽服，自称来自上界与其交合，并传授她吸精导气的方法，能够令她容颜永驻。这位夏姬还未出嫁的时候，便与自己的兄长以及朝中的权臣有染。后来，夏姬嫁给了陈国的大夫夏御叔，夏姬的名字即由此而来。

夏姬嫁到陈国以后很快生下了儿子夏征舒。据说夏征舒出生的时候，夏姬来到陈国还不到九个月。可能是夏姬“吸精导气”的作用，她的丈夫夏御叔年仅三十几岁就去世了，留下了夏姬和夏征舒这一对孤儿寡母。夏姬年近四十，但容颜依旧，很快又与陈灵公和陈国的两位大臣孔宁、仪行父勾搭起来。这君臣三人都持有夏姬的内衣，甚至在上朝的时候拿出来互相嬉戏。如此丑行引起陈国上下的阵阵声讨，大夫泄治苦苦劝谏陈灵公，却把灵公弄得恼羞成怒，命令孔宁、仪行父二人将其暗杀。一天，君臣三人共同在夏姬的家中饮酒作乐，不知为何将话题转到了夏征舒的身上，而且还拿他的身世开起了玩笑，意思是夏姬来到陈国还不到九个月就生下了你，你怎么能姓夏？正值血气方刚年纪的夏征舒怎么忍受得了如此的人身攻击？他恼羞成怒，趁灵公将要离开的时候，拉开弓箭将其射死，并且号称自己是陈侯，执政陈国。

孔宁、仪行父二人见势不妙，赶紧跑到了楚国避难，并把这个消息告诉了楚庄王。隔年，作为霸主的楚庄王发兵讨伐夏征舒，很轻松地攻破了陈国都城，将夏征舒处以车裂极刑，并俘虏了夏姬。夏姬的魅力实在太大，仿佛只要与她有过一面之缘的男子都会拜倒在她的石榴裙下，即便是一代霸主楚庄王也抵挡不住这个女人的魅惑，想要纳她为妾。此时，申公巫臣站出来劝谏楚庄王不要因为一个女人在世间留下淫乱的名声。楚庄王接受了申公巫臣的建议，按捺住了自己的淫心。楚庄王这边的风波刚刚平息，楚国重臣子反又提出想要娶夏姬为妻，这再一次被申公巫臣阻拦，说夏姬曾经害死了自己的丈夫、情人和儿子，甚至陈国也差点灭在这个女人的手里，这是个不祥之人，是祸水，子反于是打消了念头。最后，楚庄王让夏姬嫁给了晚年丧偶的大将军襄老。

厄运再一次降临，公元前597年，晋国大夫荀首在邲之战中一箭射死了襄老，并且带走了襄老的尸体。夏姬又一次成为了寡妇。具有如此魅力的女人当然永远不会寂寞，夏姬很快便又和襄老的亲生儿子黑要有了私情，黑要收到父亲的死讯不但没有急着去寻找尸体，反而很高兴，因为他终于可以肆无忌惮地和自己的这位狐媚继母通奸了。

楚国是大国，当然不会允许这样的事情在朝中长时间上演。早已对夏姬暗生情愫的申公巫臣终于找到了机会，由他出面，命令夏姬回到自己的娘家郑国去，并私下许诺夏姬，自己会尽快找机会到郑国去下聘礼迎娶她。巫臣对她的爱慕之情夏姬自然也是早就了然于心，此时巫臣坦白，夏姬当然喜不自胜。事情总是这样的巧合，正在这个时候，郑国方面声称，已经找到襄老的尸首，派使者来通知夏姬回去迎取，就这样，夏姬名正言顺地得到了楚庄王的许可，回到了娘家郑国。而巫臣这边，则开始酝酿一个巨大的阴谋。公元前591年，楚庄王去世，年幼的楚共王继位。巫臣趁机申请出使齐国，得到了允许。当巫臣率领着仪仗携带大量礼物行至郑国时，巫臣便打发人把礼物送回楚国，自己找到了夏姬。公元前589年，申公巫臣按照他当年的诺言，名正言顺地迎娶了夏姬。

夏姬的确切生平年代我们找不到历史资料，但可以进行大致的推理。当年夏姬在陈国与陈灵公等人勾搭的时候已经年近四十。公元前597年，夏姬的第二任正式丈夫去世，再到公元前589年，这中间已经经历了8年的时间。如此推算，巫臣与夏姬真正在一起的时候，夏姬最少也是年过半百了。如此大的年纪，在整容之术欠发达的春秋时代，夏姬还能够拥有如此的魅力，这实在让后人汗颜。可惜当时还没有摄影拍照的技术，否则真希望能够一睹夏姬的风采。当然，没有图像流传下来也有一个好处，读者们可以展开自己无限的想象力，去勾勒生活在距今2500多年以前的那个绝世美女的样子。夏姬不愧为“春秋四大美女”之一，她的事迹虽然很荒诞，但远远比后来的西施精彩得多。单从其“祸国”的能力来判断，她应该也是高居榜首了。

一代“妖姬”的故事讲完了，接下来我们还要收拾收拾心情回到主题。公元前589年，巫臣拐带夏姬逃到晋国，当时楚国与晋国正在激烈地竞争中原霸主之位，楚庄王的去世令楚国的能量大打折扣。而巫臣在这个时候为了一个女人逃离了楚国，这势必要惹来楚国的追杀，更何况那么多楚国人都对夏姬这个女人垂涎欲滴，这个便宜让巫臣占了很多人是不甘心的。这也是巫臣一定要带着夏姬离开郑国而来到晋国的原因，他心里很清楚，此时只有晋国能保得他的安全，而来自敌对国的大夫，这个身份也会令晋国人很好地对待他、保护他。很快，巫臣就遭到了楚国人的报复，楚国的两个重臣子重与子反知道了这件事以后暴跳如雷，诛杀了巫臣在楚国的全族。这一行为彻底燃起了巫臣的仇恨之火，他决定要真正帮助晋国对抗楚国了。

巫臣终于等来了属于他的机会。公元前584年，寿梦率领的吴国在中原各诸侯国的视野中漂亮地出了一次镜，虽然攻打的是晋国的附属国，可聪明的晋国人很快便想到了一个化敌为友的方法。此时晋国与楚国还是连年征战，不可开交，晋国人虽然无法灭掉楚国，可楚国想要出击中原必须先要跨过晋国这道屏障。吴国的亮相令晋国人眼前一亮，他想出了一个对付楚国的好办法，那就是扶植吴国并且与吴国联合夹击楚国。所以，巫臣主动请缨，负责联络和出使吴国，并且帮助吴国训练军队。

同年，巫臣便带上自己的儿子子狐庸以及30乘战车、士兵出使吴国。巫臣来到吴国以后，受到了吴王寿梦热情的接见。对于寿梦来说，可以得到人家免费带来的人力、物力资源的帮助，而代价只是在适当的时候协助他们骚扰一下自己本来就很讨厌的楚国，这是天大的好事。巫臣教给了吴国当时世界上最先进的军事打法——以步兵配合战车的作战方式。当时还以水军为主的吴国军队，对于战车这种先进的装备，可能连听都没有听说过。巫臣带领将士展示了战车的作战方式，令吴国上下大吃一惊，立马就被这种先进的打法所吸引，将士们全都刻苦学习。

巫臣在吴国停留了一段时间后便回到晋国与夫人团聚了，但他并没有一走了之，而是留下了自己的儿子子狐庸作为吴国的“高参”，后来子狐庸还在吴国官拜“行人”，成为吴国除吴王以外权位最高的官员。巫臣还留下15乘战车和驾驭战车的将士作为吴国长期的军事指导员。另外值得一提的是，巫臣还教给吴国人射、御之术，这是周朝从天子到大夫都要学习的六艺中的两种。简单说射就是引弓射箭，御就是驾车的技术，这两门技术是运用车战战术的基础。当然，射、御这两门技术除了在战场上使用以外，还有一个最大的作用就是表演。有关于射御作为表演项目的细节，在《左传》中有多处专门的记载。

吴国人从巫臣那里不但学会了车战技术，还学习到了先进的战阵，因为在步兵中混入车兵，这当然要特殊的阵法。现代专门研究古代军事的学者多认为，春秋时期各诸侯国在战争中采取的主流阵法便是战车阵，由战车和步兵共同构成一个作战单位，一辆战车上配备三名人员，分别是御手、射手和盾手。御手负责驾车，射手负责攻击，盾手负责防御。这样，即便是有战车落入重围，也可以单独作战冲杀一段时间。而围绕着一辆战车，配备50—75名步军士兵。作战时，以一辆战车所构成的军团为单位布阵，冲锋、防守都要遵循阵法，变换自如。

巫臣的到来大大地勾起了寿梦的野心，也许有一天，自己所统率的吴国也可以像楚国那样向中原出兵，在各诸侯国之间占有重要的地位。因此，寿梦在学习到先进打法之后，为了快速增强自己的军事实力，还在扩充兵源方面想了很多方法。他首先打破了“国人当兵，野人不当兵”的旧制，吸纳周边欠发达地区的“野人”入伍。这些“野人”没有文明的概念，打仗时更加拼命，寿梦利用野人的这一特点把他们编排进吴国的先锋军队，这令吴国的先锋军在冲锋的时候极其勇猛，势不可挡。此外，吴国甚至将死囚犯也扩充到军队当中，这一股势力虽然人数很少，但简直就是现代战争电影里面的“敢死队”，他们无所畏惧，因为原本已经是“死人”了，所以在战斗中无所不用其极，战斗效率非常高，有时候还可以执行一些特殊的“敢死”任务。

巫臣对吴国做的这些也许有着自己的目的，从他把儿子留在了吴国我们可以看出，他很可能是在为自己谋求一条退路。当时的晋国内部各大家族的权力纷争已经开始并且有愈演愈烈的趋势了，巫臣作为一个楚国逃来的叛臣在晋国没有任何的背景，很容易被政治漩涡搅得粉碎。这可能是巫臣真心实意帮助吴国的根本原因。但是，不管巫臣出于什么目的，他出使吴国，都标志着吴国从一个弱小的国家正式走向强大，同时也走上了“不称霸不罢休”的这条不归之路。寿梦通过巫臣的指引，进行的这一系列改革大大增强了吴国的军事实力，为日后的联晋抗楚，以至于进一步逐鹿中原奠定了基础。从此，吴国进入了一个新的历史时期。

三、联晋抗楚：改变命运的三次大战

可能是出于对新式装备新式打法的绝对信心，可能是为了向晋国表表态，自己没让人家白忙活一场，也可能是对“臣属”这件事情早就忍无可忍，在巫臣来到吴国的当年，吴王寿梦就发动了对楚国的战争。这次战争在春秋史上也算得上是一次大战。吴国对楚国的边境重镇及邻近吴国的附属国都发动了攻击，结果吴国大胜。这一场战争令吴国收获颇丰，除了正式宣布脱离楚国的怀抱，不再向楚国称臣外，吴国几乎把当时在位置上临近吴国、附属于楚国的蛮夷各国统统收入了自己的地盘。这是吴国走向“文明”之后第一次发战争财，这令寿梦欣喜若狂。

这样一次巨大的胜利，让吴国安心经营了将近十年。经过十年的积累，吴国的国土面积、人口、经济、军队数量等方面都有了巨大的飞跃。而楚国可能是为了积蓄能量准备继续讨伐中原，也可能是因为此时内部的矛盾已经逐步暴露，无暇对外发动战争，并没有主动报复吴国，而是采取了守势。寿梦十一年（前575年），楚国在对晋发动的鄢陵之战中失败了，养精蓄锐了十年的吴国终于迎来了针对楚国的最好战机。

鄢陵之战，楚国投入数万兵力，由楚共王亲率三军与晋国决战。司马子反、令尹子重、右尹子革都作为将军，参与了这次战争，可见此次战争的规模之巨大。然而由于战术失误等多方原因，楚国的军队被晋军大败，楚共王趁夜遁走。楚国的这一次大败使其军事力量、整体国力都遭受了巨大的损失。而且战争结束后楚国的司马子反被子重所逼自杀，这直接导致了楚国内部的政治格局出现重大变化。以前由子重、子反分庭抗礼的格局被打破，变成了子重一家独大。这一系列的变化导致楚国在中原的霸业宣告结束，而晋国通过战争的胜利，稳固了中原霸主的宝座。

公元前574年，吴王寿梦痛打落水狗，趁着楚国刚刚战败、内部空虚时，发动了第二次伐楚之战。这次战争还是瞄准了楚国的附属国，先后攻打了舒庸、巢、驾等国，吴国再次大胜而归。

吴国两次对楚的战争使楚国意识到了这块阻碍他们向中原进军的绊脚石。在楚国眼里，吴国毕竟还只是一个弱小的国家，一个曾经臣属于自己的国家，前面两次较量虽然获胜，但那不过是小打小闹，自己因为有着更加宏伟的目标，无暇顾及才被吴人得逞。心中抱有这样的想法，当楚国的元气逐渐恢复以后，在寿梦十六年（前570年）楚国主动出兵讨伐吴国。楚军首先攻克了吴国的附属国鸠兹，当楚军大部队士气高昂，怀揣着必胜的信心，扑向吴国国都的时候，却在衡山一带遭遇了吴国的伏兵。

值得一说的是在当时的战争中，遭遇伏兵这种情况还不是十分常见。一是因为在春秋时期受到人口和部队数量的局限，无法大面积布防，一般的军队都驻扎在城市附近或是关卡，二是在当时几乎还没有“兵法”的概念，最早的兵法《孙子兵法》是由吴国后来的一个军事将领孙武提出来的，而此人在这个时候还未降生。因此当时的战争还是停留在比较原始的阶段，双方下战书约定时间、地点，布阵，互相冲杀。在这种情况下吴人能够想到在衡山伏击楚国的军队，这足以证明在寿梦的领导下，荒蛮的吴国人已经有了相当高的智商，而对于中原人讲的那一套战争礼节，吴人并不需要遵守。

于是，战争的结果和以往两次的结果一样，吴国大胜，楚军首领邓廖被俘虏，楚国军队几乎全军覆没。吴军乘胜追击，又攻占了楚国不少的地盘。经历了这三次大规模的战争，吴国的地盘又扩大了不少，原来附属于楚国的诸多小国都成了自己的势力，吴国也正式与楚国接壤，这为后来吴国灭楚创造了很好的条件。寿梦也因为这些卓著的战功，被史家冠以“拓土益大”的评价。

吴国联晋抗楚的军事方针，或者说晋国“联吴制楚”的战略谋划，在一定程度上改变了春秋后期整个中国大陆的力量格局，也彻底改变了吴国的命运。吴国因此发了战争财而迅速崛起，当彻底制服楚国以后，吴国又与晋国反目，争夺霸主之位。再后来，与楚国之属国的越国争霸于东南，最后被越国消灭。这一切的一切，都与吴晋两国之间的这一重大决定脱不开干系。所谓“塞翁失马，焉知非福”，说的就是这样一个道理，眼前的既得利益若放在一个更加长远的时间段上，就不一定是好事了。

四、继位难题：四个儿子的尴尬

吴王寿梦在位25年，功绩卓著，带领吴国走出了原始、荒蛮的状态，正式与中原各诸侯国建立了外交关系。寿梦的一系列努力使吴国的综合实力大幅提升，虽然与传统强国晋、楚、齐还有一些差距，但毕竟也有了三次大胜楚国的辉煌成就。

随着国力的增强和数次战争的胜利，吴国的疆域也向北面和西面有了一定的拓展。吴国强盛时的疆域东达海滨（今上海），南至浙江北部，西到安徽中部和南部、江西东北部，北抵江苏北部，此时的吴国俨然成为了一个雄踞东南的超级大国。

可是到了寿梦晚年的时候，在面对选择继承人的问题上，一代明君也面临了他祖先古公亶父曾遇到的尴尬局面。寿梦共有四个儿子，从长到幼分别是诸樊、余祭、余昧和季札。按照传统王位应该传给长子诸樊，但问题是寿梦本人实在是太偏爱幼子季扎了，事实上季札的能力在四兄弟当中也确实是最出类拔萃的。

想当年，年幼的季札与父亲共同游历中原的经历，打开了季札的眼界，从此，季札便对中原的礼乐文明产生了浓厚的兴趣，并开始潜心进行研究。从《左传》、《史记》、《越绝书》等诸多古代典籍当中我们看得出，季札是中国历史上南方出现的第一位圣贤之人，甚至还是孔子大大推崇的圣人。由于他的封地在吴国的延陵（今江苏省常州一带），在历史上又被称为“延陵季子”，据说季札还做过孔子的老师，在春秋时期的名气可与孔子相提并论，被世人合称为“南季北孔”。季札的事迹数不胜数，有些见于史书，有些则见于民间故事，这当中最有名的，当属他作为使臣出使中原各诸侯国时所发生的一系列故事，一直被传为佳话。

季札曾经代表吴国出使中原各诸侯国，一来是为了开阔眼界，与中原各国建立外交关系，二来是为了了解各国的内部情况。季札来到了鲁国，鲁国的大夫们为了显示自己头号文明国的地位，请季札欣赏了一场规模极其盛大的音乐会，为季札演奏了《诗经》当中的十几首曲目。这里要顺便说一下，《诗经》是孔子所编六经当中的一部经典，它在历史上的价值极为重要。今天我们看到的《诗经》是经过孔子筛选删减过的，而在季札那个年代，《诗经》全部的内容要比今天的传世本多很多。因为春秋时代的音韵与今天的音韵不同，这其中的很多诗我们今天读起来是不押韵的，但在那个时期却是完全押韵的。另外，今天传世的《诗经》只有文字，我们只能诵读，但在周朝的时候，这里面所有的诗都是可以配上旋律演奏或是吟唱的，据说不同的诗配以相应的曲调，懂得欣赏的人便能够从中听出旋律所要表达的内涵与情感。

春秋时期的音乐是极为高雅的艺术，这有点像今天西方的交响乐或者歌剧，没有一定的音乐素养是无法欣赏也无法了解其内涵的。但季札是这方面绝对的高手，《左传》当中详细记载了“季札观周乐”的全部过程。根据《左传》的记载，鲁国人演奏《诗经》的顺序是从开篇的《周南》、《召南》开始，至《郑风》、《卫风》、《齐风》、《秦风》等，最后是《小雅》、《大雅》、《颂》。这个顺序虽然与今天通行版本《诗经》的顺序不一致，但一定是符合当时某些规则的。季札在欣赏的过程中将他对周乐的理解展现得淋漓尽致。每当一曲奏罢，季札总会发表自己的见解，而其评价的内容，又与乐曲所要表达的思想完全吻合。例如，他在听到《邶风》、《卫风》的时候，评价为“渊乎”，这一个“渊”字概括了这类诗歌深沉婉转的特质。再比如，听到《齐风》的时候，季札在点评中用了“泱泱乎”以说明齐地诗歌雄浑壮阔的风格。季札又称《秦风》为“夏声”，形容西方地域的博大辽阔。评价《大雅》用了“熙熙乎”，形容周王统治地区人民生活的和乐之美。总之，季札的一番评价令鲁国人大跌眼镜，如此高深的音乐涵养令鲁国的大夫们很难相信这是一个出自蛮夷之国的人，同时，鲁国的大夫们也在季札身上找到了一种知己的感觉。

所谓“士为知己者死，女为悦己者容”，鲁国的大夫们在音乐方面与季札产生了强烈的共鸣，于是又邀请季札观看鲁国的舞蹈。舞蹈从《象箾》、《南籥》开始，这两支舞蹈都是歌颂周文王的，一文一武，分别歌颂周文王的文韬武略。季札的评价则是“美哉！犹有憾”，意思是虽然周文王的功德被万世传颂，但终究没有灭掉殷商，所以还是留下了很多遗憾。之后又表演歌颂周武王伐纣的《大武》，季札因而感慨“大概周朝兴盛的时候就是这样吧！”在表演歌颂大禹勤劳天下、日夜不懈的《大夏》的时候，季札又赞叹：“勤劳天下又不自以为是的人，天底下除了大禹还有谁呢？”这一系列的点评着实令鲁国人刮目相看。季札也因为这一次在鲁国的露脸，而名震华夏，被孔圣人捧为可以与周公、泰伯并列的圣贤之人。

离开鲁国之后，季札又来到了齐国，拜访当时的东方第一贤者——晏子。晏子全名叫做晏婴，晏子是后人对他的尊称。适时，晏子是齐鲁大地上最有名气的贤者。他提倡仁义、廉政、身体力行，等等。季札见到晏子之时，齐国刚刚经历一场由崔家和庆家主导的巨大的内乱，史称“崔庆之乱”，政局很不稳定。季札因而提醒晏子应该交出权力，才能明哲保身。晏子听了季札的建议很快就交出了权力，12年后，齐国四大家族打起了内战，晏子因为没有权力而且保持中立，这才得以避免受到牵连。

之后季札又到了郑、卫、晋等国，针对这三个国家的政治形势分别提出了自己的见解，甚至还预料到了日后赵、魏、韩三家分晋的可能，由此可见季札拥有极其敏锐的洞察力和极高的智慧。在这次季札出使列国的过程中，还有一件“大事”被载入史册。

季札曾经路过一个叫做“徐”的小国，徐国的君主看到季札的佩剑十分喜欢，一直把玩，爱不释手。吴国的青铜制造业十分发达，这一点我们会在以后的章节详细解说，而季札也看到了徐君对自己佩剑的钟爱，有心相赠，可奈何自己尚在访途之中，佩剑不能离身。在当时的观念里，佩剑是君子的象征，出使别国，没有佩剑是很影响外交礼节的。所以他只能不动声色地收起宝剑，在心中默默允诺徐国国君，自己会在归途的时候再来赠剑。可世间的事情总是变幻莫测，当季札从晋国回来之时，这位徐国国君已经故去。季札很悲伤，他来到徐君的墓前，解下自己的佩剑，恭恭敬敬地挂在了墓前的一棵树上，以象征将其赠与了徐君。根据《史记·吴太伯世家》的记载，这一行动令徐国人备受感动，写歌称赞季札："延陵季子兮不忘故，脱千金之剑兮带丘墓。"

其实，根据史学家们的考证，季札这一次出使列国是在吴王余昧时期的公元前544年，也就是寿梦去世后的17年。在此，我们只是借这些事情来说明季札这个人的能力问题。如此一位贤者，令他的三位哥哥也很佩服，面对父亲临终时的遗愿，长子诸樊自愿让出王位与四弟，这一点，诸樊颇有当年泰伯的风范。而余祭、余昧二位兄长也完全没有意见。可是，季札不同意。他坚决不接受王位，因为长子继位是自古以来的传统，尊德重道的他绝不允许自己打破这个传统，当然，他本人也志不在此，他更加喜欢研究学问，宣扬道德。当事人不同意，寿梦也只得将王位传给了长子诸樊，但却在临终之时嘱咐诸樊："你去世的时候，要将王位传与你的二弟，并告诉他，他去世以后再传给老三，这样兄终弟及，季札早晚会继任吴王的位置。只要季札当了吴王，他必然会依靠他的能力和才华，带领吴国走向真正的强大。"

公元前561年，寿梦去世，长子诸樊在有一点点无奈的情况下继承了王位。诸樊虽然不是大才大德之人，但当政期间也算是中规中矩。吴国在诸樊的领导下也经常与楚国发生战争，诸樊每次都身先士卒，好像从来不畏惧战死沙场。就这样，吴国在诸樊时期也得到了一些发展。公元前548年，在位13年的诸樊去世，临终之时遵循先王寿梦的遗命，将王位传给了二弟余祭，并嘱咐余祭，死后要传位于老三，再让老三传给小弟弟季札。余祭听命，上任以后立即把季札封在延陵，让他从这块地方开始熟悉政务，以便日后接手吴国政权的时候能够游刃有余。

余祭统治下的吴国继续稳固、缓慢地向前发展。值得一提的是，吴国在这一时期不但继续与楚国开战，还和南边逐渐发展起来的越国打了几仗。公元前544年，吴国攻打越国，抓到了一个俘虏，把他的双脚砍掉，派去看守吴国的战船。有一次余祭去巡视战船，因为喝醉了酒，便躺在船上休息。没想到这条船恰恰是那个越国俘虏负责看守的，这个越国俘虏对余祭早就怀恨于心，此时终于找到了报仇的机会。他悄悄地爬到熟睡的余祭身边，解下余祭的佩剑，手起剑落杀死了余祭。

余祭遭遇横死，遵先王遗命，公元前544年，吴国的王位传到了余昧的手中。此时，季札还是完全没有心思当这个吴王，他在自己的封地一心向学，学问已经做得很好了。虽然他自己不想当吴王，但还是系吴国的命运于自身的，他建议余昧不要再像两个哥哥和父亲那样，盲目地开展对外战争，应该休养生息，同时与中原各国交好。在这种情况下季札亲自充当使者，以文化的名义，以友好交流为目的出使了中原各诸侯国。

余昧的称呼来自于《史记》，然而考古学家们在春秋时期吴地出土的青铜器的铭文中并没有发现吴王余昧的称谓，与其最接近的是一把青铜剑上的署名“弟未”，根据音近可通假的规则，考古学家们认为这应该便是余昧的佩剑。《春秋》当中有“夷未”的称呼，而《公羊传》当中还有“夷昧”这个名字，总之，这些历史典籍或青铜器皿上的不同名字应该都是指吴王寿梦的第三个儿子，即我们书中所说的这位吴王余昧。

从公元前544年至公元前527年，吴王余昧共在位18年。这段时间由于有着季札出使列国的功劳，吴国几乎没有经历过战火。余昧临终之时要传位于季札，这一下终于轮到吴国人朝野上下都热切盼望的季札当吴王了，可季札还是坚决推辞了。季札乃真君子也，几十年前考虑到几位哥哥，坚决不领吴王之位，可如今三位哥哥都已经相继去世，而他对于吴王的位子还是辞而不受，好像这个人已经修行到对权力完全没有了欲望，难怪孔子对其大加赞美。季札为了躲避，还跑回了自己的封地，表明坚决不继位的态度。

指定好的继承人季札死活不当吴王，导致吴国国君的位置空置了一段时间。公元前526年，余昧的长子公子州于终于按捺不住自己的野心，自领吴王之位，这便是吴国历史上的吴王僚。

五、后遗症：王位继承引发的权力纷争

公元前526年，吴王僚继位。吴王僚很幸运，自己的四叔放着这么大个便宜不占，把王位空了出来，自己当然得“挺身而出”一把了。这个世界就是这样，对于权力这个东西，看透了的人嗤之以鼻，提不起半点兴趣，可更多的人还是乐此不疲，甚至可以为此大打出手，你死我活。按照吴王僚自己的逻辑，这个王位当然是属于自己的，因为爷爷传给了大伯，大伯传给了二伯，二伯传给他爹，他爹要传给四叔可是四叔不干，那当然是他接班了。

史书当中没有记载吴王僚继位以后吴国贵族对其王位的合理性是否质疑过，对于这件事情最有发言权的季札早就逃回了自己的封地。可从实际情况来看，至少有一个人对这件事很不满意，这个人就是诸樊的长子——公子光。公子光是一个热爱权力的人，是一个有野心的人，而且是一个能力超凡的人。因为自己是这样的一个人，所以公子光很郁闷，按照他的想法，爷爷将王位传给了父亲，是因为父亲是长子，而自己又是父亲的长子，所以自己理所当然会坐上吴王的宝座。可是偏心的爷爷非要传给四叔，所以本该属于自己的王位就跑到了二叔、三叔的手里。如果四叔继位，公子光也没有什么不平衡的，因为这一来是爷爷的遗命，二来，对于四叔季札这个人，公子光也是打心底佩服和敬重的。扪心自问，自己的才能的确也不如四叔。可是季札又一次推辞了王位，那不管怎么轮，这个早在二十多年以前就应该属于自己的位置终于该属于自己了吧？没想到半路杀出了堂弟公子州于，他抢先一步自立为王。这很不符合公子光的逻辑，令他很不爽。

大概是吴王僚也猜测到了公子光会不舒服，或者是公子光已经表现出了自己的不满，吴王僚多少有些不安。这很正常，我们也不能因

此而指责吴王僚，因为即便是在今天，对于任何一个人来说，如果身边有这样一个对自己不满，随时想要取而代之的人，而且这个人也具备代替自己的能力和合法性的时候，都没办法安心。为了防患于未然，吴王僚做了很多安保工作。他首先让自己的儿子庆忌做了自己贴身卫队的队长，庆忌这个人不得了，武功高强，有万夫不当之勇，号称“天下第一勇士”，据说连别人射出的箭他都能徒手接住，可见其勇猛的程度。有关于庆忌详细的事情，我们还要在后面有所涉及。其次，吴王僚牢牢地将军权把握在“自己人”的手里，他将自己的两个同胞弟弟盖馀和属庸都封为领兵的将军，这样就不会有什么武装倒戈的事情发生。最后，吴王僚还要将自己的“敌人”边缘化，把公子光派到前线去，如果公子光战死沙场，吴王僚就彻底安心了。为了达成这一目的，在他上位的第二年，就再一次发动了对楚国的战争。

其实，吴王僚的这一系列安排，公子光都已看在眼里，而且作为一个有野心的人，他也早就做好了准备。公子光在很早以前就开始广交各路英豪，豢养食客，还拥有一支规模不小的“府军”。公子光虽然没有当上吴王，但论地位，自己也一直算是王储一类的人物，毕竟自己的爹是曾经的吴王。此时吴王僚执政，自己再不济也得算是个“亲王”或者“王爷”，只不过吴国的规模有限，当时的政府中也没有这样的头衔罢了。这里要顺便说一下，春秋时期贵族阶层本来就有培养食客的风气，所谓食客，简单说就是贵族当中有一些大人物花钱养着归自己领导的一批人，这些人能够在必要的时候对自己产生帮助。这些食客来自各行各业，并且大都有着自己的一些本事，有的学问好，有的有谋略，有些人则武功高强，或者有着特殊的才艺。也有一些身强体壮但没有什么突出能力的人，则可以充当“府军”，相当于这些贵族们的家庭军队。

吴王僚二年（前525年），吴国发动了对楚国的战争，吴王僚派公子光为统帅。这件事情虽然看起来没有什么问题，但仔细分析，这很不符合吴国的传统。吴人好勇轻死，从寿梦时期开始大规模对外战争，每次大战，都是吴王本人亲自挂帅。寿梦如此，诸樊如此，余祭也是如此，只有余昧时期没有记载，那也是因为这一时期没有什么史料记载过大规模的战争。现在吴王僚刚刚继位，便恢复了对楚国的战争，而且他并没有像吴国的先王们那样自己做统帅，而是派出了公子光。再加上公子光与吴王僚之间隐含的矛盾，我们很难不去联想这是一次阴谋行径。公子光当然也看出了吴王僚发动这场战争背后的目的，但也很无奈，王命不能不受。

在这个关键时刻，公子光豢养的食客发挥了重要的作用。在公子光的食客队伍当中，有一个相当有谋略的人，他的名字叫做被离。被离看出了吴王僚的真正目的，也看出了公子光心中的忧虑，但他认为本来在吴国没有什么作为的公子光如果能打赢这场战争，便可以凭此在吴国立威，这对以后的发展是有极大好处的，所以他坚决地建议公子光遵守王命，这场战争不但要打，而且要打得漂亮，只能胜不能败。

吴王僚在这次战争动员当中，为了显示自己对战事的信心，及对公子光的全力支持，将吴王专属的指挥战船“艅艎号”交予了公子光。“艅艎号”是当时的一艘巨型战舰，其规模大致相当于今天的航空母舰。这艘战舰具有很多优点，作为指挥战舰具有辽阔的视野，可以对战场上的事态发展观察得很仔细，同时对于振奋将士们的士气也有着极大的作用。可这艘战舰也有一个缺点，就是防守能力较差，需要很多的小型船只护航，否则极容易被敌人近身，尤其在内陆水域的战争中，一旦遇到水位比较低或者河道比较狭窄的地方则容易搁浅。吴王僚把这样一艘战舰交给公子光，名义上是对战争给予极大的支持，其实居心是叵测的。而公子光这边因为听从了谋士被离的建议，也积极地备战。为了增加战斗胜利的把握，他还无私地将自己的“府军”编入了战斗部队当中。

楚国方面接到了战报，知道吴国要来攻打自己。信奉鬼神的楚平王赶紧让令尹子瑕对此次战争的结果进行占卜。在今天我们的语言习惯里面，“占卜”是一个名词，但在春秋时期，占是占，卜是卜，这是两种不同的算卦方法。所谓占，就是用蓍草起卦，把四十九根蓍草按照一定的规则拿取，最后得到六组阴阳排列，形成六爻卦，再从《周易》这本书当中找到相应的卦爻辞或是一些特殊的规律，来判断吉凶。而卜，则是指煅烧龟甲，从龟甲破裂的形态中判断吉凶。占的方法因为要参考《周易》的内容，而《周易》因其深奥的哲学内涵，且被推崇为儒家经典当中的“群经之首”而得以保存。但卜的方法早已失传。

令尹子瑕占卜之后得出的结果是大凶，于是楚平王决定采取守势，等吴国军队打过来以后和吴国人打消耗战，这样把握会大很多。然而司马子鱼却不相信占卜的结果，他向楚平王主动请缨，要求亲自率领部队迎击吴军。楚平王见有这样的忠君爱国之臣自然是很开心，立即应允了子鱼的请求。子鱼率部队来到长岸（今安徽省当涂县西南）这个地方，展开对吴军的迎击，因而这场战争在历史上被称为“长岸之战”。这是史籍当中记载的第一次有正式水军编队参与的战争，也为我国的军事史拉开了新的一幕。

战争过程很有意思，双方第一次交锋的时候，楚军指挥司马子鱼便战死沙场，不想将士们竟然因为主帅战死而变得奋勇无比，一鼓作气击败了吴国水军，并且俘获了公子光所乘坐的吴军指挥舰“艅艎号”。公子光率部队顺江而下，在下游扎了营寨。在主帅阵亡的情况下击败吴军，这大大增强了楚军的士气。楚国人知道吴军丢掉了主帅战船绝不会善罢甘休，于是有位军官提议以“艅艎号”为引，在四周布下埋伏，等待吴军自投罗网。而公子光方面则与谋士被离定下一计，派三名留有长头发的吴国士兵假扮成楚国士兵，混入楚军大营。到夜半时分，以三声“皇”为暗号，命三人在埋伏的楚国士兵中暴起杀人，而吴军大部队趁势偷袭。这里我们要注意一个细节，吴国人的打扮是“断发文身”的，尽管在寿梦时期就向中原学习文化，但这一习俗至此时也没有改变。而楚军是蓄发长辫的，所以我们可以看出，执行这一任务还是相当有难度的，因为要找三个留着长头发的吴国士兵并不容易。

春秋时期各国的战争还是君子之战，不怎么讲究兵法，像公子光的这种计策楚国人不可能识破。结果到了夜半时分，楚国阵营当中的三个士兵突然暴走，乱砍乱杀，这令楚军大营立马乱成了一团。在那个信奉鬼神的年代，不明所以的楚国士兵还以为这几个兄弟被鬼神附了体，吓得纷纷扔掉手中的兵器胡乱躲藏。本来准备伏击吴军的楚军此时却在自己的营地里乱成了一团。外围的吴军一哄而上，顺利地歼灭了楚军，夺回了“艅艎号”指挥舰。

回国以后，公子光凭借着这一次反败为胜的赫赫战功，在吴国树立了威望。而吴王僚发现公子光的战斗天赋果然不一般后，一方面对公子光的戒备之心更甚，另一方面利用他的天赋经常派公子光率军出去打仗。说来也奇，命硬的公子光从未在战场上失过手，反而越打越顺手，越打越得军心。在这个过程中，公子光对吴王僚也是越来越不满，他是自寿梦以来第一个自己不打仗而让臣子替自己卖命的君王，这不符合吴国的传统。公子光十分想推翻吴王僚，自立为王，但以当时的情况，如此操作的唯一可能性便是暗杀掉吴王僚。

暗杀吴王僚可不是那么容易的事情，吴王僚精心的防备几乎是毫无破绽，公子光不可能轻易得手。公子光虽然食客众多，但若真要派去行刺吴王僚，恐怕没有一人能够胜任。谋士被离在长岸之战以后也被吴王僚调到了自己的帐下，这令公子光失去了一条得力的臂膀。此时的公子光只能选择忍耐和等待，忍耐吴王僚的所作所为，忍耐着命运对自己的考验，等待着合适的人、合适的时机出现。在忍耐与等待中，公子光当然也并没有闲着，他继续通过努力赢得更多的战争，从而提升自己的威望，争取吴国内部更多的人支持自己，这样等到时机成熟的时候，自己可以顺利地接过吴王宝座。

那一天终将到来，公子光成功地夺得王位后便将自己的这个名字从历史中抹去，取而代之的是吴王阖闾的称号。

六、偏安一隅：半个世纪的文明积淀

从寿梦到姬僚，虽然经过了三代人、五位君王的努力，吴国得到了巨大的发展，但始终无法与传统强国比拟。至吴王僚时期，即便吴国在军事方面已经很强大了，但受地理位置的局限，吴国也不可能向齐国、晋国这样远隔千里的国家发兵。后来吴王阖闾继位之后，经历了阖闾与夫差两代人的努力，吴国灭楚、灭越，北上伐齐，与晋分庭抗礼并成为霸主，这是吴国一个新的纪元。因此，在这一章结束以前，我们需要首先总结一下吴王阖闾继位以前吴国在各个方面改革以及取得的成果。

早在泰伯、仲庸在吴地建国以前，该地区就已经步入了青铜时代，社会生产力较石器时代有了较高的提升。泰伯、仲庸又为吴地带来了周朝先进的生产经验，例如家禽的养殖技术，农业种植技术，开挖沟渠、运河等水利技术，这进一步促进了吴地生产力的发展。另外为了保护私有财产和人民安全，相传泰伯还在梅里建造了城邦。根据《吴越春秋·吴泰伯传》的记载，这座城的周长为三里二百步，外郭三十余里，人民皆耕田在其中。如果此记载可信，那么如此规模的城邦在当时的年代确是难能可贵的，可见其生产技术的先进程度。梅里这座城是吴国最早建立政权时的政治、军事、经济中心，这为吴国的发展提供了有利的条件。

在春秋初期至中期，周王室衰微，各诸侯大国争霸，战争不断，但吴国地处东南角落，周围又有很多缓冲的小国，几个争霸的大国鞭长莫及，所以吴国可以免于战火而安于发展。吴国在这个时候可以称得上是东南一方土地上的强国，“所谓不知者不畏”，在没有与中原各国交流的情况下，吴国并不知道“山外有山，天外有天”的道理，所以在春秋早期，吴国甚至敢藐视齐桓公的霸权而不去朝见。即使是在臣属于楚国的那段时间，楚国对吴国的管理也并没有那么严格，吴臣于楚更多是形式上的，而没有什么实际的损失。如此看来，自泰伯、仲庸至吴王阖闾以前，吴国经历了五百多年的长治久安，这段时间的积淀，为后来吴国称霸奠定了基础。

直到寿梦在位的时候吴国才开始使用文字，寿梦以前，吴国的情况并没有多少史料记载。有关于早期吴国的一些情况只能通过考古发掘来了解。上个世纪七八十年代，考古工作者对吴国地域内的遗址和墓葬进行了一系列考古发掘。1970—1980年间，分别从江苏省的吴县洞庭西山、溧水县、消夏湾、丹徒县、丹阳县、昆山盛庄、南京市等二十余个地区挖掘出属于西周时期的农业工具十余种。这其中包括破土、翻土所用的犁、锸，中耕除草时所用的铲、锄、耨，以及收获粮食时用的镰和铚等。这些农用器具有的是石器，有的是蚌器，也有很多青铜器。一般大型农具，例如犁，以石器居多，而精细工具，如锄、铲则以蚌器和青铜器为主。这些发现反映了在阖闾即位以前，吴国已经有了一套完整而系统的农业生产体系，并且拥有了先进的农业生产工具及理念。

此外，从墓葬的随葬品中也证实了当时吴国的经济情况。1977年考古学家在江苏句容浮山果园挖掘时，发现了一些器皿内有食物腐烂的痕迹以及兽类的残骨。同年，南京博物馆在金坛鳖墩一号墓葬中发现了52件随葬器物，其中有大坛10只，罐11只，这两种器物都是用来盛放随葬粮食的，就它们的体积推算，这一死者随葬的粮食多达五六百斤。类似的发现数不胜数，这些足以说明当时吴国在经济上是十分富裕的，不仅可以满足人民的口粮，就连随葬的食物都有如此大的数量。

另外，在出土的陪葬品中还有大量的青铜酒器，其中包括尊、觥、爵、罍等，这也说明了当时的吴国以粮食酿酒的风气很兴盛。酒在商周时期还是属于奢侈品的范畴，是属于贵族阶层的饮料。能够有多余的粮食酿酒，这同样也证明了吴国粮食的丰盛，以及人们在精神娱乐方面的追求。

除了农业发达，吴国的青铜冶炼技术在这一时期也已经相当发达。

除了刚才提到的青铜农具、酒具外，在吴国地域出土的大量兵器当中更能看出这一点。吴国的青铜兵器至今为止已发现的有七大类，分别是戈、矛、钺、戟、剑、镞和异形兵器。而在这些兵器大类当中，款式、精致度和锋利度又有着很大的区别。仅戈这一种兵器，自吴国早期到阖闾之前，经过不断改良、升级的款式就有二十余种，而矛的款式更加夸张，有近五十款。同一种类型的兵器拥有如此多的款式，这主要由两个方面的原因造成：第一，产地众多，这些不同款式的兵器是从不同的地方生产出来的；第二，武器的设计不断更新换代，以新式设计淘汰旧式的设计，以增加武器的实用性。而武器的改良也同样说明了青铜冶炼技术的发展，因为技术越发达，所能铸造出的武器就越锋利，形态越贴近设计。另外根据很多文献的记载，吴国的青铜冶炼技术不仅限于生产常规兵器，关于吴国绝世宝剑的故事也是数不胜数。专诸用鱼肠剑刺杀吴王僚、季札挂剑徐君墓、欧冶子冶炼五把绝世神剑以及阖闾冢随葬三千宝剑等故事无不说明了当时吴国青铜冶炼技术的高超与精湛。

除了农业、青铜冶炼等方面，考古学者对吴国城镇的发掘，也进一步说明了在阖闾以前，吴国国力的兴盛。牯牛山古城遗址位于今天安徽省南陵县石铺乡，该城南北长约900米，东西宽约700米，面积近70万平方米。城内四周有古河道环绕，河道宽20—30米。根据考古学家的断代，这座古城始建于西周时期，其地理位置处于山地与平原的交界地带，环境优越，周围河网密布，交通十分便利。该城遗址以西20公里便是大工山古铜矿遗址群分布的中心地带，牯牛山古城的建立应该与当时大规模开采铜矿有着密切的关系。以此推断，牯牛山古城虽然未见于史料记载，但很可能是吴国在西周时期进行铜矿开采和冶炼的管理中心。

葛城遗址位于今天江苏省丹阳市珥陵镇，是距今为止在考古学上发现的可以确切断代的最古老的吴国城址。江苏省考古研究所在2007年对此遗址进行了细致地调查、勘探和考古发掘。葛城内城呈不太规则的长方形，周长约660米。内城外有三道城壕，第一道城壕宽约8—13米，在其外50米左右是第二道城壕，宽约13—15米。经过仔细地勘探发掘，内城竟叠压着方向不太一致的三个时期的城墙和四个城门。三期城墙的年代分别是西周早期、两周交界和春秋中晚期，这说明此城的使用时间可以从春秋中晚期一直追溯到西周早期，并且经过多次翻修重建。可见，此城在吴国历史中所扮演的重要角色。葛城虽不见于史料记载，但我们却可以从其附近的墓葬出土情况对其加以分析。葛城北面约30公里处的大港烟墩山和荞麦山的西周墓出土过周康王、周昭王（分别是西周第三位和第四位天子，约公元前11世纪至前10世纪）时期的鼎、尊、簋、盘、兵器、车马器等青铜器；磨盘墩墓葬出土过周幽王、周平王之际的青铜尊、车马器等；而北山顶和青龙山大墓则出土过春秋晚期的“余昧矛”、青铜鼎、缶、编钟等物。另外，在葛城附近的司徒镇和访仙镇也曾经发现过西周中晚期的青铜器窖藏，并出土了大量的凤纹尊、鼎、盘、簋等物。以上墓葬的年代大致可分为三个时期：西周中早期，两周交际，以及春秋晚期，与葛城建城的三个时期分别对应。由于葛城遗址是新发现的一座吴国古城址，还无法与史料当中记载的某一个吴国城镇相匹配，但根据对其城内情况的还原以及其周边丰富的考古发现，我们不难看出在这段漫长的历史时期中吴国大致的生产及人口情况。

在吴国境内，考古学家还发现了其他数座古城，但因为无法确定其建造年代以及建造者，所以我们不再加以分析。但仅以上述提及的两座古城为例，我们就可以推断出吴国当时的城镇已经不局限于都城这一座城镇了。这些城镇的规模虽然不如都城那么大，但也可以容纳大量人口和军队，或是像牯牛山城那样有着特殊的作用和功能。

第三章

阵痛：篡位风波

吴王僚继其父亲余昧之后登上了王位，然而，吴王僚继位的逻辑并不能说服公子光。公子光在吴王僚二年开始率兵与楚国作战，漂亮地反败为胜以后，逐渐在吴国人的心目中树立威望，最后终于推翻了吴王僚的统治，自立为王，从此摇身一变，成为春秋历史上一位闪光的君主——吴王阖闾。

吴王阖闾带领吴国走向了新的篇章，并最终走上称霸之路。然而，历史永远都不是某一个人靠着一己之力就能够谱写成功的，吴王阖闾固然伟大，但仅凭其一己之力也无法把吴国治理得繁荣昌盛，这是精英汇聚的结果。吴国自寿梦时代开始进入文明时期，其政府职能、官僚体系也逐渐完善，但从寿梦一直到吴王僚时期，除了当年帮助吴国走向强大的申公巫臣之子子狐庸这个闪光点以外，并没有哪位臣子在其发展过程中发挥过至关重要的作用。随着时间的推移，吴国历史上最为伟大的“第一臣子”终于在吴王僚时期开始登上历史舞台，他叫伍子胥。这个拥有着不平凡身世背景的男人，在吴国大发展的时期发挥了极为重要的作用。

一、此恨无休：伍子胥的身世

公元前523年，楚国。

此时楚国的君主还是我们前面提到过的那位信奉鬼神的楚平王。楚平王即位不久，便将公子建立为太子，并为太子选择了一正一副两位老师，专门教授太子建。“正教授”叫做伍奢，“副教授”叫做费无极。伍奢的父亲伍举是春秋霸主楚庄王在位时的楚国重臣，堪称楚庄王的左膀右臂。伍奢家学功底深厚，学问精深，为人又正直、忠厚，是太子建最尊敬也最亲近的人。而费无极这个人学问没有伍奢那么好，虽然也经常装得一本正经，“为人师表”，但经常掩饰不住其猥琐狭隘的内心，所以太子建很不喜欢自己这位“副牌”老师。这令费无极很郁闷，作为太子的老师，得不到太子的尊敬和爱戴，就很难在仕途上有更大的发展，甚至当太子成年以后还可能会失业。费无极不甘于如此便断送了自己的前程，所以他想要改变这一切。

公元前523年，楚平王为太子建选妃。这是一次政治联姻，所迎娶的太子妃是秦国君主秦哀公的妹妹孟氏。秦国是个出美女的地方，传说秦穆公的小女儿弄玉就是个大美女，美到能够吸引华山上的仙家都吹着箫来迎娶她。这个孟氏也和弄玉一样，美得超凡脱俗，令男人们魂牵梦萦。费无极虽然和太子建的关系一般，但在楚平王面前却很受器重，于是楚平王便派他前去迎娶太子妃。

费无极来到秦国，见到了秦哀公的妹妹孟氏，仅看一眼孟氏的美貌就让费无极的下巴掉在了地上——此女子惊为天人！想到太子建故意疏远自己，还处处与自己作对，头脑灵活的费无极一拍脑门计上心来。想要对付太子建，唯一能利用的武器就是楚平王，只要让楚平王与太子建反目，自己的目的就能达到。然而，两个人亲为父子，又彼此没有矛盾，如何能够反目呢？最好的工具就是女人，而这个楚平王为儿子选定的妃子，正是可以利用的最佳棋子。

当费无极把孟氏带回楚国后，并没有带着孟氏来见太子建，而是首先把这位“太子妃”带到了楚平王的面前。楚平王不光相信鬼神，还极其好色，他一见到孟氏立刻有种不能自已的感觉。费无极看到楚平王那副垂涎欲滴的样子，立刻就对自己的计划充满了信心。

把孟氏安顿好后，费无极主动来找楚平王聊起了美女“太子妃”的问题。费无极开门见山，告诉楚平王，如果大王您喜欢，完全可以自己留下，因为虽然孟氏已经来到了楚国，但太子还未见到孟氏。您完全可以把孟氏留给自己当妃子，而太子建那边，只要再给他物色一个就好了。至于秦哀公那边如何交代就更加不用担心，本来这桩婚姻就是为了增强两国的友好关系，把孟氏嫁给太子建，秦哀公只是太子建的大舅哥，还是您的小辈儿，而如果您亲自迎娶孟氏，那秦哀公就升了一辈儿，成了您的大舅哥，他高兴还来不及呢。

就这样，在费无极的怂恿下，原本就有点把持不住的楚平王大张旗鼓地迎娶了来自秦国的孟氏。这个孟氏嫁给楚平王以后极得楚平王的宠爱，成了楚平王后宫当中重要的角色，后来还给楚平王生了一个大胖小子。孟氏所生的这个儿子便是后来被吴王阖闾撵得到处跑的楚昭王。

让楚平王迎娶孟氏，这只是费无极下的第一步棋，接下来，费无极又向楚平王分析楚国如此强大却始终无法称霸中原的原因，分析来分析去得出了一个结论，就是楚国的地理位置不好，太靠南，与中原诸国间还隔着一个强大的晋。况且楚国的都城又距离北部边境太远，想要出兵中原各国军队也不容易调度。这种情况下最好的解决方法就是在北边再建一座大城，把太子安置在那里调兵遣将，以图日后谋取宋、郑、卫等中原各诸侯国。如此狗屁的理论居然被楚平王拍大腿认同，可能楚平王把心思净用在后宫上了，如果楚国无法称霸的原因只是这么简单，那他的祖先楚庄王在出兵讨伐过宋、郑等国，并取得胜利后，早就一统中原了。

既然费无极与楚平王达成了共识，接下来就要分析要在哪建城的问题了。分析来分析去，费无极建议，不如在城父（今安徽省亳州市谯城区城父镇，原属陈国，后楚伐陈，占据此城）城原有的基础上扩建城墙，这样比新建造一座城要容易很多。主意已定，楚平王又联想到自己抢了儿子太子建的老婆这件事，本来也有些心虚，若把他支到遥远的城父，远离自己，也不失为一件好事。

事情发展的过程令费无极颇为满意，一切都在按照他的计划进行着，太子建这个不合自己心意的坏学生早晚会被自己玩死。就这样，费无极耐心地等待了一年多的时间，等到太子建和楚平王二人的距离拉开的时候，他又来找楚平王，危言耸听地跟楚平王说了一大堆太子建在城父拥兵自重、密谋篡位的“大事儿”。

中国历史上的历代君王最担心的就是有人谋反，所以历代大臣们最常用的打击政敌的武器就是诬陷其谋反。楚平王的确被费无极的这番话戳中了软肋，因为他本人获得王位的方式就有问题。公元前529年，楚灵王领兵围攻徐都，楚平王那个时候的身份是公子弃疾，是楚灵王最小的弟弟。他趁着楚灵王领兵出战的机会，挑唆他的三哥和四哥一起造反，并推举三哥子平为王，是为楚初王。楚初王即位仅仅几个月的时间，公子弃疾就发动了另外一场政变，他派人到处散播楚灵王率军归来的消息，吓得楚初王和他的四哥公子令尹纷纷在宫中自杀身亡。公子弃疾就这样当上了楚平王。

如今费无极的这番话让他想起了自己的往事，一下子惊出了一身的冷汗。他不知道费无极说的是真是假，这种事情在还未发生的时候也无法判断，但兄弟相残、父子相残的事情在楚国的历史上本来就是家常便饭，想当年楚国的太子商臣就是亲手杀死他的父亲楚成王以后，自立为王，成为了楚穆王。似乎楚国的王室贵族对权力的欲望要远远大于对亲情的维护，所以宁可信其有，不可信其无。再加上自己不对在先，抢了原本给儿子的妃子，本就心虚，他害怕了。

至此，费无极的阴谋就要得逞了，但他还没有忘掉一件事情，就是打击太子建的同时也应该打击一下令自己失宠的伍奢。实际上，伍奢早就成了费无极假想的政敌之一，因为没有伍奢这个“正牌教授”，太子建就不会产生对比，自己也不会在太子建的面前失宠。于是，费无极将矛头转向了伍奢，远在城父的太子建不着急对付，而伍奢可是就在楚平王的身边。

费无极提醒楚平王，伍奢是太子建的老师，如果太子建确有谋反之心，必然与伍奢有联系。楚平王此时已经被费无极牢牢地抓住了软肋，失去了判断是非的能力，陷入了“费无极式思维”的陷阱。楚平王找来了伍奢调查情况，伍奢这个人非常正直，不知道拐弯抹角，面对楚平王的问题自然是直截了当地回答，并且声色俱厉地劝告楚平王不要亲小人而远君子。可以想见，这样的回答方式让楚平王更加火大，更加确信太子建谋反的事是真的，而且伍奢就是太子建的同伙，是太子建安置在楚平王身边的“内线”。

楚平王将伍奢打入了大牢，同时命令城父的司马奋扬去捉拿太子建。奋扬非常了解太子建的为人，知道太子建是无辜的，而且他与太子建的私交很好，便派人向太子建通风报信。就这样，太子建为了躲避父亲的捉拿，跑到了宋国寻求庇护。随后奋扬把自己“押送”回都城，回禀楚平王，说：“您曾经告诉我要像侍奉您一样侍奉太子，如今你们父子反目，我不能捉拿太子，反而放跑了太子，请您治我的罪。”面对这样的忠臣，楚平王也没法再追究奋扬的罪过。

费无极很郁闷，自己算计好的一盘棋居然被这个半路杀出来的奋扬给搅和了，楚平王居然还没有治罪，这令他更加不爽。费无极是个十足的小人，小人不爽必定有人要遭殃，但太子建已出逃，奋扬也被楚平王赦免，费无极拿他们两个没有丝毫办法，于是他想到了另一个让自己不痛快的人——被关在大牢之中的伍奢。

如今能让他解恨的就是弄死牢中的伍奢，不单要弄死伍奢，还要弄死他们全家，尤其是他的两个儿子。费无极给楚平王建议，虽然太子建已经出逃，但伍奢一定要杀，否则不足以服众，别人还会有谋反之心。而且斩草要除根，杀伍奢的同时还要把他的两个儿子骗到都城一起杀掉。

就这样，楚平王给伍奢的两个儿子写了封信，告诉他们如果来都城就放了他们的父亲，如果不来，就要杀掉他们的父亲。伍奢的两个儿子，哥哥叫伍尚，弟弟叫伍员，这个伍员字子胥，就是后来的吴国第一重臣——伍子胥了。伍尚为人忠厚，颇有其父亲的风范，尤其注重孝道；而伍子胥则聪明伶俐，头脑灵活，从小就不走寻常路，有着异于常人的思维。兄弟二人一眼就看出了楚平王这封信的目的，说放了父亲是假，要把兄弟二人骗去都城一起杀掉才是真的。眼见父亲必死，兄弟二人由于性格的不同做出了不同的选择。伍尚选择了去都城为父殉葬，他的理由是，没有自己的陪伴，父亲在黄泉路上会不安。而伍子胥自然是选择了逃跑，他的理念是“留得青山在，不怕没柴烧”，伍家要留后，要有人为父兄报仇。兄弟二人对彼此的了解极其深刻，二人都知道谁也劝不了谁，便都尊重了对方的选择，哥哥前去赴死，弟弟日后为父兄报仇。

伍尚预料的一点都没有错，他一到都城，楚平王就下令以谋反的罪名杀掉了伍奢及其长子伍尚。同时，楚平王还下令捉拿伍子胥。伍子胥猜到自己不随兄长去赴死必然会被捉拿，于是早就离开了家乡。从此，年纪轻轻的伍子胥便踏上了一条复仇的不归路。

二、一波三折：伍子胥大逃亡

公元前522年，楚平王在佞臣费无极的挑唆下，怀疑太子建谋反，设下计谋将伍尚骗到郢都，将伍奢与伍尚处死，伍奢的小儿子伍子胥孤身一人踏上了逃亡之路。伍子胥是一个天生就不知道低头的人，他从不向命运屈服。在伍子胥的心目中，楚平王和费无极两个阴险小人为了自己政权和地位的稳固，陷害了他的父亲和哥哥，作为伍家留下的独苗，他必须为父兄报仇雪恨。

但以伍子胥当时的情况，想要复仇几乎是不可能的，面对强大的楚平王和地位显赫的卿大夫费无极，伍子胥是绝对的弱势群体。在一般人的想法之中，以他一己之力想要报仇雪恨，唯一的方法就是当刺客刺杀楚平王和费无极，但如果那样做，即便自己得手也不可能活命，况且伍子胥不是好勇轻死之人，他绝不会做出刺杀楚平王那样以身犯险的行为。伍子胥所拥有的智慧足以让他想出一个更加行之有效的办法，就是利用春秋时期各诸侯国之间复杂的关系，用别国的力量来为父兄报仇。这样的复仇方式不但会大大降低自己的风险，而且一旦成功，打击到的不单单是楚平王和费无极两个人，而是会将楚国连根拔起，给予整个国家一个致命的打击。

本来伍子胥也热爱自己的国家，但是家不在了，国就变得没有了归属感，况且，这是一个想要置自己于死地的国，伍子胥对它只有仇恨，没有热爱。这大概也是为何在后世儒家观点中提倡“修身、齐家、治国、平天下”的原因，齐家和治国是一码事，只不过规模不同。在贵族政权的时代，家治理好了，才有可能把国治理好。

想到复仇，伍子胥首先想到了和自己同仇敌忾的太子建，毕竟他才是这场阴谋主要针对的人。伍子胥一路奔波，途中避开了数波楚平王派出的追兵，终于死里逃生，只身一人来到了宋国。这中间还碰到了伍子胥最为要好的朋友申包胥。申包胥悲悯伍子胥的遭遇，支持他的复仇行动，但作为楚国忠臣的他也说出了“若你亡楚，我必复之”这样的话，这件事为后来申包胥“哭秦廷”埋下了伏笔。伍子胥来到宋国找到了太子建，二人有着相同的仇恨，自然一拍即合。可摆在他们面前的，却是宋国内部的一团乱麻。宋国大贵族华氏不满宋元公的统治而造反，双方大打出手，根本无暇顾及太子建与伍子胥两个人的事情。于是，这两个人觉得宋国不能再待了，有太多不可把握的危机埋伏在这里，于是启程逃往郑国。

郑国在当时属于晋国老大哥的小弟，和楚国的仇恨很深。郑定公听说二人是楚国逃出来的太子和臣子，满心欢喜地收留了他们，并且好吃好喝地招待一番。当太子建跟郑定公提出想让郑国帮助他们报仇的时候，郑定公的内心为之一动，如果能帮太子建推翻楚平王的统治，郑国就是未来楚国国王的大恩人，那样的话郑国一定会在楚国的帮助下强大起来。可是再一想，自己这个小国寡民，跟楚国打仗，实在是鸡蛋碰石头的举动，战胜的可能性几乎是零。这样一想，即便好处再大，自己也不敢轻举妄动了。既然忙帮不上，好人还是要当。为了显示自己的友好，郑定公给太子建一个更好的建议，那就是去找晋国帮忙，晋国本来就与楚国有世仇，帮助太子建夺下政权对于晋国来说是有百利而无一害的好事，他们一定会帮忙。于是，太子建又继续动身，前往晋国。

此时晋国的君主是晋顷公，这个人柔弱而又多疑，欺软怕硬，他执政晋国的14年间不但没有什么作为，反而令六卿的势力逐渐壮大，积极向王室夺权。晋顷公一听太子建提到要求自己与强大的楚国作战，实在不敢，脑筋一转反而打起了郑国的主意。原来郑国虽然是晋国的小弟，但却不是特别听话。尤其郑国此时真正的主事大臣是鼎鼎大名的贤臣子产，这是郑国历史上最为伟大的政治家之一，在外交方面那是绝对的强硬派，甚至还是孔子非常尊敬的人物之一。在他执政期间，晋国几次向郑国索要保护费都遭到了拒绝，这令晋国人很不满意。于是晋顷公向太子建提出："你若能回到郑国并利用他们对你的信任在郑国谋取官职，等到你在郑国势力坐大你我就里应外合灭掉郑国，到那时我就把郑国封给你，你我再联手对付楚国，不怕你的大仇不报。"

太子建原本是个有志向、有原则、有操守的"三好"青年，否则他也不会亲近伍奢而排斥费无极。然而命运的捉弄令复仇的火焰席卷了胸膛，就连自己至亲的父亲都出卖了自己，如今的太子建再也不是当年那个"三好"青年。太子建被晋顷公的一番话说动了心思，他在复仇无门的情况下选择了与晋顷公合作。

太子建一回到郑国，就找到了伍子胥与其商议他和晋顷公的这个约定。伍子胥极力反对，他提醒太子建，当年秦穆公也曾派内应谋取郑国，结果无功而返，还遭到了晋国人的暗算。晋国人是这个世界上最狡猾的一帮人，他们从来都是靠耍弄嘴皮子指使各国，他们最喜欢玩的就是阴谋权术，有多少个国家多少个人上过晋国的当，被晋国人当枪使，耍得团团转。况且有子产当政的郑国也不是那么好对付，很难保证自己的伎俩不被郑国人识破。可被仇恨冲昏了头脑的太子建已经失去了分析能力，他把晋顷公给他支的招当成了他救命的最后一根稻草，根本听不进伍子胥的建议，一意孤行。果然不出伍子胥的意料，很快，子产就发现了晋顷公与太子建的密谋，杀死了太子建。

伍子胥很郁闷，原本眼下有郑国这个可以让自己休息和修炼的地方，现在又让太子建给弄没了，自己千辛万苦寻找到的“战友”因为冒傻气断送了性命，甚至还拖累了自己。太子建死了，郑国也待不下去了，毕竟自己是打着投靠太子建的名义来到郑国的，不管怎么说郑国人都会认为他和太子建是一伙的。伍子胥开始思考自己应该何去何从。晋国肯定是不能再去了，虽然那是为自己复仇最有希望的国家，但那帮人太坏，也太机灵，根本不可能为自己所用。放眼天下，另一个与楚国有仇的国家便是吴国，吴国地处于楚国的东边，与楚国接壤，常年与楚国作战。最重要的是，吴国一直都没有什么名臣，以自己的才学，若去吴国，说不定还能混得风生水起。伍子胥当下做出决定，踏上了前往吴国的征程，这一次，他不是孤身一人，虽然太子建已死，却留下了年幼的儿子王孙胜。伍子胥带着王孙胜，向吴国出发了。

从郑国到吴国，并不是一条容易走的道路，因为按照当时的地理情况，从郑国到吴国要经过楚国地界，而伍子胥是楚国通缉的要犯。还好当时的城市不是很密集，伍子胥带着王孙胜一路隐姓埋名，避开城市重镇，终于来到了楚国与吴国的边境交界处——昭关。

昭关是楚国的一处重要关卡，因为楚国和吴国常年交战，而出了昭关就是吴国的境内，所以出入昭关的人都要经过特别严格地盘查。伍子胥是现在楚国的头号通缉犯，此时此刻他的头像就挂在关卡的城墙上。

远看着那人来人往的关卡，伍子胥开始着急上火了，从那道关卡出去，自己就可逃出生天，可以开始自己的复仇之路，可一旦被人发现自己的真实身份，一定会被关卡的守备人员捉住押往楚都郢城，自己即便有再大的本事也插翅难逃。

伍子胥过昭关这段故事在民间流传着很多个版本，而这些民间传说又经过明代小说家冯梦龙的整理和加工，形成一个完整的故事，收录在小说《东周列国志》当中。根据这本小说的描写，伍子胥正在关口发愁的时候，被东皋公带回了自己的家中，而这位东皋公自称是春秋时期著名的神医扁鹊的弟子。东皋公带伍子胥二人回到家中以后安顿他们住在自己的庄中，这一住就是七天。伍子胥每天望着昭关发愁，白天茶饭不思，夜晚寝不能寐，如此连续七天，头发变得雪白，面容也变得苍老憔悴，嘴唇更是因为干枯而开裂。七天的时间竟然将一个正值青壮年的小伙子变成了一位白发苍苍的“老人”。东皋公见他这个形象计上心来，他找到了容貌酷似伍子胥的好友皇甫讷，让皇甫讷假扮伍子胥，而伍子胥则扮作仆人，趁着混乱出关而去。后来，这一桥段还被中国的国粹——京剧所吸收，配以京剧的经典唱腔，形成著名的京剧剧目《文昭关》。

当然，在真实的历史当中，伍子胥是否愁成白发我们不得而知，但出昭关的过程的确是步步惊心。《史记·伍子胥列传》当中用了“到昭关，昭关欲执之。伍胥遂与胜独身步走，几不得脱，追者在后。”这样的语言，形容了当时伍子胥过昭关所遇到的危机。而过了昭关，伍子胥也并不安全，昭关的守备已经发现了他的踪迹，派出了追兵。伍子胥带着王孙胜一直向吴国的方向跑，可却被一条大江阻隔。正在伍子胥无奈之际，江中突然出现了一条渔船，撑船的老翁让伍子胥上船，将他摆渡到了对岸。伍子胥对老翁十分感激，当即解下自己佩戴的宝剑，送给撑船的老翁，并告诉老翁这把剑价值百金。哪知那老翁哈哈一笑，说：“楚王有悬赏，捉到伍子胥的人，可以得到粮食五万石，并且赐予侯爵爵位。我渡你过江难道是为了你这百金的奖励吗？”听到这一番话，伍子胥很汗颜，他知道，撑船的老翁早就识别出了他的真实身份，可既然知道了还肯渡他过江，这说明老翁是欣赏他伍子胥的为人的。根据《越绝书》的描写，这位撑船的老翁为了表示自己不会泄露伍子胥行踪的决心，还纵身跳入江中自杀了。

伍子胥终于安全了，他进入了吴国，身后的追兵也被一条大江阻隔。可是再往前走，伍子胥又犯了难，虽然已经进入了吴国的境内，但此处距离吴国都城还有很远的路程。伍子胥出发得仓促，身上并没有带干粮，这一路和王孙胜两个人一直是忍饥挨饿。《越绝书》当中还提到了吴国的一位贞节烈女，此女子三十岁出头还未婚嫁（这在春秋时期是超大龄“剩女”了），正在溪边浣纱，见伍子胥带着年纪幼小的王孙胜，二人饿得可怜，就拿出自己给母亲准备的饭菜让二人吃了。二人吃饱上路后，这位贞节烈女却因为自己做的饭菜被陌生男人吃掉，而觉得贞洁已毁，投江自杀。

三、双雄共谋：篡位这件事儿

伍子胥经过一番辗转的逃亡，终于来到了他梦寐以求的吴国都城。此时，吴王僚当政。伍子胥又遇到了一个不小的麻烦，虽说他来吴国是想要帮助吴国，可吴楚两国是世仇之国，作为一个楚国人，伍子胥很难摸进吴王府，觐见吴王僚。因此，伍子胥和王孙胜来到吴国以后所从事的第一份工作是乞讨，靠要饭为生。据说第一个发现伍子胥的，是公子光手下那个曾经为他出谋划策的谋士被离。此时被离虽然已被吴王僚调用在自己身边，可心里还是向着公子光的，他经常在城市当中闲逛，想要为公子光发掘一个人才，以替补自己的空缺。伍子胥天赋异禀，必然有着与普通人不同的气场，当然这个气场也必须是有本事的人才能体会得到，被离一下就被路边行乞的一老一少吸引住了，他们所散发出的气质绝非平常人。一番交流后，被离将伍子胥引荐到了公子光的府上。

此时的公子光已非当年可比，经过了数年战争的洗礼，他变得老练、沉稳，身上散发着睿智的光芒。带兵打过仗的男人，是具有非凡魅力的，尤其是经常带兵打胜仗的男人，一定是成熟的、有感染力的。经过与伍子胥的一番攀谈，公子光认定这是个大用之才，是能够担当重任的，而且这个人身上的血性甚至都超过了自己。但此时的公子光很能沉得住气，他看出伍子胥内心中具有强大的仇恨需要宣泄，况且人家来的目的是要见吴王，让吴王帮助自己复仇。公子光一边把伍子胥引荐给了吴王僚，一边琢磨着日后如何能够收服伍子胥为己所用。

伍子胥见到了梦寐以求的吴王僚。他出身贵族，来自大国的身份加上气度非凡的仪表以及不俗的谈吐，自然令吴王僚对他另眼相看，准备将他安置在自己的身边为官。这一下公子光郁闷了，原本自己相中的人，将却被吴王僚夺了去，公子光无奈，只能默默地等待时机。

伍子胥在吴王僚手下为官的这段时间，史料当中没有找到他太多的作为，唯一可以肯定的是楚国人知道了伍子胥在帮助吴国走向强大，这令楚平王、费无极等人产生了极为严重的不安心理。伍子胥来到吴国的第二年，吴王僚就亲自率领吴兵攻打楚国的州来，楚国约请了其附属的陈、蔡、沈、许、顿、胡等六个小国共同出兵。在“七国联军”的兵力超过吴国军队一半以上的情况下，吴国人三下五除二就灭掉了“七国联军”，伍子胥还在这场战争中露了脸，这令楚国人更加不安。之后，吴国还曾经出兵攻打过楚国的臣属国钟离国，占了钟离和居巢两座城，把人口都带回了吴国，可楚国却假装不知道，无动于衷。

伍子胥侍吴的时间一晃就是几年，可复仇的事情始终没有着落，复仇心切的伍子胥几乎每天和吴王僚说的都是要如何攻打楚国、灭掉楚国，而对于吴国内部的事情，诸如百姓的民生问题、政治体制问题等，他根本不关心。这样的做法令吴王僚渐渐对伍子胥这个人有了看法，对他越来越没有了耐心。一直在等待时机的公子光看到了这之中的矛盾，他利用这一时机，向吴王僚进言，说伍子胥来到吴国，所有的心愿都只是为了借助吴国的力量灭楚复仇，并非真心实意想要帮助吴国。

伍子胥是聪明绝顶的人，虽然之前被复仇的火焰烧糊涂了，但此时一听到公子光的劝谏，立马就明白了这其中有诈。这个公子光很明显是要挑拨自己和吴王僚的关系，而这么做的目的是什么？无非希望自己为他个人所用。一个臣子为什么希望有能力的人为他个人所用？很明显这个臣子怀有二心。想到这，再回想自己初到吴国时，公子光看着自己眼中放出的热切渴望的目光，伍子胥确定了这一推测。站在伍子胥的角度上，公子光确实比吴王僚更有可能帮助自己达成心愿，因为公子光是个有血性有野心的人，这一点吴王僚骑着马也赶不上。如果自己能扶公子光上位，公子光必然会帮助自己复仇，因为，楚国也是公子光自己想要灭掉的头号敌人。

想开了这一层，伍子胥改变了对待公子光和吴王僚的态度。他主动与公子光亲近，渐渐减少与吴王僚的接触。随着伍子胥与公子光二人的接触逐渐增多，两个人都在彼此的身上找到了英雄相惜的感觉，彼此间的信任与日俱增。终于有一天，在伍子胥与公子光单独的密议过程中，公子光向伍子胥和盘托出了自己的真实想法，他对吴王僚的统治不服气，更何况从道理上来讲，吴王僚是霸占了自己的王位。公子光要夺回本来就属于自己的王位，他要亲自率领吴国走向强大。想要夺回王位，自然就要发动政变，干掉吴王僚，而伍子胥，就是能够帮助他实现这一目的的最佳人选。

春秋时期，没有后来皇帝面临的农民起义的问题，从天子到诸侯，权力都垄断在贵族阶层的手中，平民就是平民，在孔夫子提出“有教无类”、将教育向平民阶层开放、士阶层形成以前，他们没有任何接触到权力的机会。那个时候的平民即便饿着肚子，往往也是逆来顺受，而各诸侯国的君王们因为有着“周礼”这种制度的约束，轻易也不会做出出格的事情来。虽然各诸侯国之间朝政更迭是家常便饭，但这是局限于贵族阶层内部的行为。春秋历史上谋杀君主篡位的事情多得数不过来，因为权力集中在贵族阶层内部，而平民百姓不管被谁统治，一般都没有什么意见，所以篡权这件事在那个时候只要把君主暗杀掉，阴谋者往往就能够顺理成章地即位。当然事情也有例外，我们前面提到的那位楚平王就是与两位哥哥共同发动的政变，可是推翻楚灵王以后明明说好了三哥当王，结果楚平王不厚道，再一次发动政变，成了最终的受益者。

公子光与伍子胥密谋政变，其实根本用不着像后代各朝那样费劲，他们只要培养出一位武功高强又不怕死的“死士”，一刀将吴王僚捅死就行了。当然，捅这一刀也不是那么容易的。第一，刺客得手以后，基本上生还的概率为零，因为吴王僚身边一定会有侍卫，这些侍卫虽然不一定能够阻止刺客得手，但一定能在刺客得手以后将其杀死，所以这个刺客必须是抱着必死的决心前去行刺。第二，吴王僚早就怀疑自己的这位堂弟怀有二心，他上位的时候就有这种疑虑，虽然时间过去了这么多年，这种防备减低了很多，但终究还是有此一防。因此，刺客不可能单刀直入，突破重围刺杀吴王僚，只能是营造一个可以接近吴王僚的机会再下手。而吴王僚本身爱好甚少，又极其多疑，一个陌生人想要接近他简直比登天还难。第三，公子光必须与这件事划清界限，就是说不能让任何人怀疑刺杀吴王僚这件事情是公子光干的。一旦他自己被牵扯进来的话，即便是行刺成功，想要自立也是难上加难。看来，刺杀吴王僚是一件极其困难的工作，这也是公子光这么多年来都没有下得了手的原因。现在伍子胥出现了，他可以代替公子光物色刺客，培养刺客，策划整个暗杀行动的过程。当然，有关于出谋划策的部分，公子光肯定会参与进来。

自此，伍子胥就一门心思投入到了帮助公子光篡位的行动中，此时的伍子胥想要复仇再也没有其他办法，他把所有的赌注都压在了公子光身上。为了帮助公子光寻找合适的刺客，他辞去了手头的工作。吴王僚闻听大喜，他本就觉得伍子胥是个麻烦，如今他自己提出要辞职，便觉心中的一块大石头落了地。吴王僚慷慨地将阳山的百亩之田赐给了伍子胥，让他安心种田，做个好农民。

卸下了这个担子，伍子胥顿时觉得轻松了不少。整天面对着自己即将刺杀的人，再铁石心肠的人也会心里不安，毕竟，吴王僚对自己也是不错的。此时伍子胥“无官一身轻”，终于可以专心致志地去完成他和公子光的“私事”了。

四、非你莫属：春秋第一刺客

中国历史上有名的刺客很多，越是乱世就越多。春秋战国这段时间，是中国历史上最混乱的割据时期，所以名刺客也最多。纵观历史上那些有名的刺客，他们出名的原因不外有二：一是他们刺杀的人物要名气大，越出名刺客换来的名声就越大。二是他们刺杀的故事要精彩，故事越精彩，刺客的名声越大。如果评比中国历史上第一刺客当属刺杀秦王嬴政的荆轲，而荆轲刺秦王的故事也几乎是家喻户晓，近年来还被无数次地搬上电影、电视剧的银幕。

伍子胥物色到的这位刺客，没有荆轲那么大的名气，但《史记》、《吴越春秋》以及很多典籍当中都对这个人有专门的记载，堪称春秋第一刺客，他的名字叫做专诸。

专诸，吴国堂邑人（今江苏省南京市六合区西北），堂邑就是以前楚国的“棠”这个地方，后来被吴国人在战争中占为已有。伍子胥其实早就认识专诸，他在逃往吴国的过程中曾路过堂邑，并结识的专诸。根据《吴越春秋》的记载，伍子胥当年碰到专诸的时候，专诸正在与人打架。书中对他当时的样子的描述是“其怒有万人之气，甚不可当”。打架这个东西无论对于练过的还是没练过的，最主要的在于气势，传统武术当中的很多门派（尤其是内家拳）都要练习与“假想敌”对峙这一过程，其目的就是在于培养自己的气势。专诸此时发出的气势是“万人之气”，可想而知这是多么恐怖的气场，他的敌人如果没有强大的心理承受力，很可能被他所营造出来的气场吓得抱头鼠窜。

可接下来的描述却令人哭笑不得。正当双方对峙的千钧一发之际，专诸的妻子忽然娇呼一声，命令专诸回家。专诸一下子就收回了他面对敌人那恐怖的气场，乖乖地回到了妻子的身边。路过此处的伍子胥也是堂堂大丈夫，想必在打架方面也是能手，可看到专诸的这一幕很费解，就询问专诸为何这么听老婆的话。专诸的回答令伍子胥觉得耳目一新，他说：“你看看我的容貌，我像是愚蠢的人吗？一个人在这个世界上如果心甘情愿地屈居于一人之下，一定就会在万人之上。”专诸的话说得相当有哲理，我们形容后世的宰相就是用“一人之下，万人之上”这个词。伍子胥此时抬眼仔细端详专诸的容貌，只见他额头突出，双目深陷，虎背熊腰，这是典型的“义士”的形象，因而对他产生了极大的好感，与他结交为朋友。

转眼八九年过去了，伍子胥一直专注于报仇的事情，从来没有和这位老朋友来往过，如今自己已经下野归田，所有的工作就剩下他与公子光所谋划的“私事儿”了，伍子胥终于想起了这位老朋友。他来到堂邑，找到了专诸。专诸的老婆自然还是当年那位母老虎，成天训斥专诸不能出人头地。伍子胥正好借此机会跟专诸说，都城有位公子寻找天下义士，自己可以带专诸去都城，将他引荐给公子光。

公子光一见专诸，双眼中便放出炽热的光芒。公子光早年就喜欢豢养死士，他在相面之术上非常老道，看到专诸的相貌、身形以及他身上所散发出来的气质，公子光断定，这就是能够帮他成就王位的那个人。公子光知道专诸是个义士，不可能被金钱收买，想要让专诸替自己干这趟必死的买卖一定要从内心深处打动他才行，于是公子光开始试图说服专诸。

公子光首先搬出了王位本就应该属于自己的那一套逻辑，父亲诸樊把王位传给了二叔余祭，余祭又传给三叔余昧，三叔本想传给四叔季札，可四叔推辞不受，吴王僚便趁机自立为吴王，这是不符合逻辑的。按理，自己是诸樊的长子，四叔不做，王位应该传回给自己，凭什么被吴王僚夺了去？公子光又说：“这种事情的发生还不是因为我的力量弱小，没有可以帮我的人吗？今天能够得到先生这样的义士，便可以夺回王位。到那时，如果我的四叔季札能够回来当吴王，我还是可以交给四叔的。”专诸听了公子光的一番话，也提出了疑问：“既然是这样，为什么不找与吴王僚较亲近的人，委婉地把道理跟吴王僚说明白，让他自己清楚，这个国家本来是属于谁的呢？”公子光接着回答：“这绝不可能。吴王僚这个人从来都是贪图享受、好大喜功，只知道前进而不知道后退的。所以我才请求与我有同样想法的义士，把我们的力量合在一起，去推翻吴王僚，还国人一个公道。”

公子光这一番话说得很巧妙，他避开了传统死士的概念，没有流露出一丁点儿买凶杀人的意思，而是大大的抬高了专诸的身份，将专诸放在和自己这位公子同一个地位上，并且把他们二人放在整个吴国人的立场上。接着再向专诸摊牌想要推翻吴王僚这位“通过非法手段上位”之人的统治，自己的力量很弱小，仅凭一己之力无法做到，只有专诸这样的勇士帮忙才能做得到。公子光这个坑挖得太深了，专诸这个极其聪明的人掉在里面也出不来了。公子光接着又说：“我也早有想法自己去刺杀吴王僚，可这样做的话，如果四叔季札还是不肯接受吴王的位置，那下一位继任者便还是名不正言不顺。”专诸被公子光的理由说动了心，面对公子光的真情也深受感动，立刻回应公子光：“我明白公子的顾虑，也的确需要有人替公子去死。我愿意完全听从公子的安排！”

公子光果然是大才之人，难怪伍子胥、专诸这样的人才都甘愿为其所用，也难怪他当上吴王以后吴国能够走向强大。这一番道理说得光明磊落，完全不像我们想象当中的那些阴谋政客能够说出的言辞。此时专诸已经答应替公子光卖命，公子光却说现在不是时候，没有时机接近吴王僚。专诸又一次提出了自己的想法，他已经由被动的被公子光“游说”，转为主动想要把这件事促成了。专诸说道：“想要接近一个人，必须要投其所好。每个人都有自己的爱好，我们可以利用吴王僚的爱好去想办法接近他。”公子光说：“吴王僚这个人最喜欢的就是美食，尤其喜欢烹调得味道鲜美的鱼。”专诸听到这，便向公子光辞行，起身前往太湖，去寻找名厨学习烹饪鱼的方法。

根据《吴越春秋》对此事的记载，专诸学习的是“炙鱼”，炙的意思是烤，所以专诸学到的应该是烤鱼的手艺。

专诸是个绝顶聪明之人，他仅仅用了三个月就掌握了烤鱼这门手艺的精髓。现在，能够刺杀吴王僚的人找到了，接近吴王僚的借口也找到了，唯一缺少的，就是一把保证对吴王僚一击必杀的武器。可真能够刺杀吴王僚的武器绝不能是普通的武器。据说吴王僚为了防范被刺杀，特意命手下人跑去楚国棠溪这个地方买来“棠夷”铁甲护身，普通的武器根本无法刺穿这种坚固的内甲。正为难时，公子光灵机一动，想起了自己珍藏着的一把神兵利刃，那可是春秋时期著名冶炼师欧冶子的杰作。据说欧冶子曾经铸造神兵利刃五把，分别是湛卢、纯钧、胜邪、鱼肠和巨阙，公子光有幸从越国人手中得到了这其中的鱼肠剑，有了这把剑吴王僚就是穿三层铁甲也必死无疑了。武器找到了，可怎么将它带进去呢？专诸必然会以“厨师”的身份接近吴王僚，这样的身份是不可能随身佩戴刀、剑这种长刃武器的。而且根据《左传》的记载，按照当时的规矩，除了吴王身边的侍卫以外，任何人接近吴王都要在门外脱光自己的衣服再换上侍卫们准备好的衣服，以示不藏暗器，所以专诸也没办法把武器藏在衣服里面。思来想去，公子光想出了一个堪称绝妙的办法：鱼肠剑之所以得名鱼肠，就是因为其剑身小巧，剑身曲折婉转、凸凹不平，鱼肠鱼肠，不正好可以藏于鱼腹之中吗？

公子光找来了专诸，又将鱼肠剑这把神兵利器交给了专诸。现在，万事俱备，只欠东风。只要碰到合适的时机，专诸的行动就可以开始了。

这里顺便讲一下欧冶子这个人。这个人的身份在不同的典籍当中有不同的记载，有的说是楚国人，有的说是吴国人，有的则说是越国人。《吴越春秋》中只在描写干将、莫邪的时候提到了这位欧冶子，说他与干将两人是同门师兄弟；而《越绝书》则提到楚王命令风胡子去越地寻找欧冶子，为其炼剑，还提到越王勾践请相剑名士薛烛为其相欧冶子所炼的五把宝剑的故事。总之，欧冶子可能确有其人，也可能是文学杜撰出来的人物，还可能是后人把几位铸剑师的故事杂糅在一起捏造出来的人物。欧冶子可能也不是他的本名，冶是冶炼的意思，子是春秋时期对一些人的尊称，所以欧冶子的意思就是一个姓欧的冶炼专家。欧冶子其人的生平我们无法确定，鱼肠剑也并未在众多的考古发现中显露真容。传说吴王阖闾死后，这把鱼肠剑做了陪葬品，因为阖闾墓还没有被发掘，自然也不可能找到这把传说中的宝剑了。

五、致命美食：专诸刺王僚

吴王僚十二年（前515年），楚平王去世，楚国上下忙着国丧。这一消息很快传到了吴国人的耳朵里，吴国人很高兴，敌人死了总是件大快人心的事。但唯独一个人很郁闷，这个人当然就是和楚平王有着血海深仇的伍子胥。伍子胥自从踏上他的逃亡生涯以来，整天都梦想着有一天能够手刃楚平王和费无极这两个仇人，可楚平王却没等他来就死了，这让伍子胥几乎痛不欲生。

最高兴的人当属吴王僚，这对于吴国进攻楚国来说是一个绝好的机会。按照吴王僚的想法，楚国上下都在忙着国丧，肯定无暇迎敌，吴国趁这个机会可以在战争中争取到很大的好处。所以吴王僚一方面派出自己的两个亲弟弟盖馀和属庸统率大军前去讨伐楚国，另一方面请求四叔季札前去晋国，以观察诸侯们的反应。

令吴王僚没想到的是，吴国这次伐楚的行动戳中了楚国人的痛点，国丧中遇到国难令本来不太和睦的楚国内部居然团结一心，一致对外。当盖馀和属庸所率领的军队进入楚国境内的时候，楚国人从后面断了吴军的后路，将这支军队死死地困在了楚国境内，吴军在与楚军的交锋中没占到一点便宜。

战报传来，吴王僚很郁闷，可公子光却很高兴，他知道，自己期盼已久的最佳时机来临了。公子光找来了专诸和伍子胥，将当下的形势同二人分析了一遍。专诸说："吴王僚该杀。如今他母老子弱，两个弟弟被派去伐楚，又被楚国人围困住了，而国内又没有正直敢言的忠臣，正是我们行动的最佳时机。"公子光听到专诸的这番话在心里乐开了花，他赶紧跪地向专诸行礼，说道："我公子光的身体就是专诸的身体，您所有的身后事都包在我的身上。"公子光很开心，因为行刺一旦成功，他便有十足的把握可以登上王位。

很快，公子光便来找吴王僚，邀请他来家中喝酒，理由是他找到了一位"炙鱼"技术高超的名厨。吴王僚仿佛也嗅到了这其中的危险信息，他回去和母亲商量："公子光邀请我去他家中喝酒，这里边不会有什么变故吧？"母亲说："公子光对你当吴王这件事有很深的不满情绪，不得不防其中有诈，一定要多加小心啊！"

不知《吴越春秋》为何在此处特意提到了吴王僚的母亲，对于历代吴王的记载，从没有提到过他们家眷的情况。想必，该书的作者赵晔是想借此来展现吴王僚偏于懦弱的形象吧，已经当了十来年吴王的人，遇到个大事小情还要来请求母亲的意见，而且还是问这类"有没有什么危险"的话题，这是在讥讽吴王僚的性格。

小说《东周列国志》的作者冯梦龙可能是嫌《史记·刺客列传》和《吴越春秋》对专诸这位"春秋第一刺客"的记载太过潦草，性格特点不够分明，还特意加上了"专诸归家探母"这个桥段。小说当中描写，专诸在行动之前特地回家探望母亲，与母亲诉说了自己要为公子光舍生取义的事情，母亲告诉专诸，自己想喝河中的清泉，可不可以为自己打来。专诸去打水，回来时看到母亲已经自尽。专诸痛哭一场，收拾尸骨葬于西门之外，又拜别妻子回到了公子光身边。这便是民间传言“专诸是孝子，其母明大义”的来历，其实此事是小说家的创作。至于专诸其人是否有老母在堂，史书当中并无记载，我们无从可知。但可以肯定的是，公子光为专诸做好了善后工作，他一定给了专诸的妻子儿女一大笔“赡养费”。

转眼到了吴王僚赴宴的日子。公子光早早地就命身穿重铠、手拿兵刃的士兵埋伏在了宴会厅的地下室，专诸也已经准备好鱼肠剑，开始组织公子光府上的厨师们烹饪一道一道的“全鱼宴”。而吴王僚方面，有了母亲的提醒，也做好了充分的防备。他首先将自己挚爱的“棠夷内甲”贴身穿上，又命令自己的亲卫队从自己家门口一直列队到公子光家中的宴会厅，手中都拿着长柄大戟，交错防御。这哪里是赴宴的架势？整个就是进了贼窝的感觉。

公子光并没有因为吴王僚摆出如此排场而害怕，因为他知道，想要吴王的命，不过是一剑的事，即便防守的人再多也无济于事，而伪装成大厨的专诸，必然会亲自为贵宾上最后一道菜，到那时便会成为整个大堂之上最为接近吴王僚的人。如此近的距离，只要专诸拿着鱼肠剑一剑下去，再多的执戟侍卫也只不过是个摆设。但是，专诸兄弟的性命肯定难保了，自己埋伏好的甲士根本来不及救专诸，想到这，公子光的心中不禁浮起了一丝悲凉的情绪。

“全鱼宴”开始了，一道一道的美食从后厨经过一道道侍卫的检验传到了公子光和吴王僚的宴席上。当酒过三巡的时候，公子光借口自己的脚踝旧伤发作，疼痛难忍，离席去换药。没错，这也是公子光早就安排好的。专诸动手的时候，自己最好不在场，否则自己也很容易成为侍卫们群起而攻之的目标。再者说，有这个不在场证明，对日后公子光即位也有好处。暗杀这种事情是不能公之于众的，即使是在得手之后，所有人都将猜疑的目光投向公子光，他也必须来个死不认账，还要千方百计把自己从这件事中择出来，为此，公子光还特意在宴请吴王僚之前，“不小心”扭伤了自己的脚踝，并在吴国广而告之，以为今天的不在场做铺垫。

就在公子光离席换药的时候，厨师专诸亲自端着今晚的主菜“炙全鱼”上来了。专诸从容地在门外把自己的衣服脱掉，然后换上侍卫们准备好的衣服走进了宴会大堂。此时，吴王僚吃得很开心，他正在想象如此美味的鱼宴，其主厨会是怎么样的一个人。当专诸进入他的眼帘的时候，吴王僚很开心，因为专诸长得很大气，这么大气的美食也应该是出自拥有大气相貌的厨师之手。

专诸气定神闲地通过一道道执戟侍卫的防线，端着鱼，走到了吴王僚的身边。这一段路程虽然很短，但是对于一个刺客的心理素质，却是极大的考验，也往往是区别一流刺客和二流刺客的分界线。

《史记·刺客列传》当中记载过荆轲刺秦王的时候，随身带了一个助手，他的名字叫做秦舞阳。这个秦舞阳也是个勇士，十二岁的时候就敢提刀杀人，很少有人敢正视他的眼神。可当秦舞阳走上秦王嬴政大殿的时候，却吓怂了，浑身战栗。这令秦王大殿的百官都紧张起来，可是荆轲却哈哈一笑，对着秦王嬴政说道：“这是个蛮夷鄙人，从没见过天子，所以才会吓得发抖。”这才把事情掩盖了过去。如此看来，这秦舞阳虽说是个勇士，但真正到了考验的时候就露了馅；而荆轲不愧为天下第一刺客，在这样的场合居然还能应对自如，将危险化于无形，可见其功力之深。在《史记·刺客列传》中，谋士田光对燕国太子丹说的一段话，说明了勇士之间的差距。他说：“夏扶是个血勇之人，当他紧张发怒的时候脸会变成红色；宋意是个脉勇之人，当他紧张发怒的时候，脸就会变成青色；舞阳是个骨勇之人，他紧张发怒的时候脸会变成白色。只有荆轲是位神勇之人，他紧张发怒的时候，可以做到面不改色。”这段描述可以说传神之极，他用了“血勇”、“脉勇”、“骨勇”和“神勇”这四个不同的概念将天下勇士的级别区分开来。

按照田光对勇士的分级，可以说专诸和荆轲一样，是个“神勇”之人。专诸面不改色心不跳，一步一个台阶地走到了吴王僚身前。专诸先向吴王僚行礼，接着开始介绍面前的这道“炙全鱼”。专诸一边说一边对着鱼指手画脚，趁着吴王僚一不留神，一把抽出藏于鱼腹的鱼肠剑，刺向了吴王僚。“棠夷”甲很坚固，可还是没有抵挡这神兵利器，鱼肠剑轻松地刺入了吴王僚的心脏。这是致命的一击，专诸很清楚，自己很可能只有一击的机会，所以他瞄得很准。当他确定“鱼肠剑”进入了吴王僚的心脏时，他甚至没有抽出这把神兵，转身朝向那些执戟侍卫，闭上了双眼。

无数把长柄大戟洞穿了专诸的身体，这位“春秋第一刺客”顺利地完成了自己的使命以后，从容地面对了属于自己的结局。当公子光的人抢上堂来的时候，专诸已变成血肉模糊的一团。吴王僚的侍卫们见公子光的甲士上堂，才恍然大悟，有“识时务”的迅速丢掉了手中的武器，匍匐在地上投降。杀了刺客，他们已经完成了作为一个侍卫的基本工作。这些侍卫就像今天的打工者，不管真正的老板是谁，只要有人给他们开工资就可以。如今旧王已死，应该赶紧向新王贺喜才对。

六、横空出世：吴王阖闾驾到

吴王僚已死，公子光在众人的呼声中顺利地登上了吴王的宝座，这个十几年前就应该属于自己的位置，终于通过自己的双手夺了回来。公元前514年，公子光即位，改称呼为吴王阖闾。吴王阖闾上任的第一件事就是将专诸的儿子拜为卿，赐予贵族身份，封伍子胥为“行人”，与其共同执掌朝政。

事后季札回国，吴王阖闾假言让位之事，季札说了一番深明大义的话：“只要先王的祭祀不至于断绝，人民不至于没有君主，社稷有人祀奉，谁当王谁就是我的君主。我又能怨恨谁呢？我只能对死去的君主尽哀，对活着的君主尽职，如此倾尽我的余年。乱子不是我发动的，谁做了国君我就拥护谁，先人们就是这么做的。”季札表明了自己的态度，阖闾很满意。随后，季札去吴王僚的墓前汇报了出使的经过，而后又痛哭一场，回到了自己的封地。

率兵去攻打楚国的盖馀和属庸仍被困在楚国，听说吴王僚被公子光所刺杀的消息后，便率军投降了楚国。这令楚国人很高兴，得到来自于敌国的军队，这恐怕是天底下最美好的事情，楚王把他们封在舒城。由于盖馀和属庸带走了大量的军队，导致吴国内部兵力空虚，阖闾即位之初并没有立马去讨伐这二人，直至阖闾三年（前512年），在休养了两年之后吴王阖闾才发兵前去讨伐楚国，攻下了舒城，斩杀了盖馀和属庸二人。

至此，吴国历史上最大的一次政变风波已经平息，阖闾自从当上了吴王，便开始任贤使能，对百姓施恩行惠，以仁义之名闻名于各诸侯之间。

历史不可以假设，我们无法想象如果吴国没有经历过这一次篡位事件，它后面的历史将会如何演绎。对于公子光刺杀吴王僚而上位这一事件的合理性，相信大家也都有着自己不同的理解。从吴国历史后来的发展方向看，阖闾确实为吴国做了很多事，他带领吴国走向了繁荣之路，所以按照历史上“成王败寇”的规则，他杀掉吴王僚而上位，也是无可厚非的。

历史的经验告诉我们，并不一定是合理的王位继承才会带来社会稳定的发展，阴谋上位的政权同样可能带领一个国家走向辉煌。吴王阖闾做到了，他很好地建设了他的国家，将吴国的四梁八柱搭建好。比阖闾晚出生了一千多年的唐太宗李世民，同样是阴谋上位，其手段之毒辣恐怕比阖闾有过之而无不及，亲手杀害了自己的一奶同胞，但李世民也一举开创了中国历史上最为辉煌的时期。

七、斩草除根：要离刺庆忌

公子光杀掉了吴王僚，摇身变成了吴王阖闾。可政变这个东西总会有一些后遗症，如今虽然自己干得不错，能够做到以德服人，令吴国大治，但却始终有一块心病令他寝食难安，那就是吴王僚的儿子庆忌；我们前面提到过的那位曾经给吴王僚当过贴身护卫总管的“天下第一勇士”。当吴王僚遇刺的时候，庆忌逃跑了，跑到了卫国。他虽然不可能在卫国组建军队或利用卫国的关系正面发起讨伐吴王阖闾的战争，但却可以暗中招纳死士，刺杀吴王阖闾。

庆忌很嚣张，嚣张到公然放话让吴王阖闾等着自己的暗杀敢死队。他在卫国大张旗鼓地招纳死士，组建刺客团队，看这架势即便没有机会偷偷溜入吴王殿，也要从正面强攻进去，反正不杀掉阖闾是不肯罢休的。即位不久的吴王阖闾心惊胆战，他自己就是靠着刺客取得王位，深知暗箭难防。尤其是如果庆忌真的派出大批的刺客，人人都武功高强，想要置自己于死地，那几乎是防不胜防的。那个时候的安保措施不可能像今天这么发达，但暗器这种长距离投掷性武器的威力却不小。何况真要置人于死地的暗器往往都是淬了毒的，都是见血封喉的东西。更可怕的是一旦被这些刺客混入“自己人”的队伍，那自己几乎是必死无疑。

还是老道的伍子胥比较有思路，他提醒吴王阖闾，与其坐以待毙不如主动出击，现如今应该主动去灭掉公子庆忌。可是想要派兵去卫国捉拿庆忌，这是不可能的，首先吴国此时的兵力薄弱，还要随时防着盖馀和属庸的偷袭，再说吴国到卫国路途遥远，而且卫国地处中原，攻打卫国很可能会引起各路诸侯的不满。最重要的，庆忌只是一个人，这个打击目标实在太小，发动军队去捉拿他，军队还没开到卫国，只要庆忌听到一丝风声，抬腿就走了，不可能等着吴国来抓他。

经过了一番深思熟虑，伍子胥向吴王阖闾提出自己的想法：“吴王您应该以其人之道还治其人之身，庆忌既然扬言要派刺客来杀您，您也可以派刺客去杀庆忌啊！”这一番话说的吴王阖闾茅塞顿开，没错，派个死士混进庆忌的队伍，刺杀庆忌，这是个绝好的办法。何况庆忌此时正在招纳死士，混到他的身边一点都不难。只是派谁去才好呢？专诸已经去世，再想找个专诸谈何容易？再说庆忌是天下第一勇士，《吴越春秋》描写庆忌这个人是“筋骨果劲，万人莫当。走追奔兽，手接飞鸟，骨腾肉飞，拊膝数百里。”面对这样一个人，如果凭武力的话，恐怕天底下没有人是庆忌的对手。二人想到这，又陷入了沉默。

伍子胥突然一拍大腿，想起了一个人来，这个人叫做要离。要离也是当时闻名的勇士，只不过他出名的方式并不是因为他多么勇武，而是因为他曾经羞辱过另外一个叫做椒丘祈的勇士。想到他，伍子胥将要离的故事向吴王阖闾娓娓道来。

椒丘祈是位武功高强的勇士，齐国人，住在东海海滨。有一次他为齐王出使吴国，途中路过淮河渡口，想要让马在渡口饮水。驻守淮河渡口的官吏告诉椒丘祈，这河中有怪兽，专门吃人的马匹，劝他不要让马在此饮水。然而椒丘祈却说道：“有壮士在此，什么怪兽敢来惹我？”于是不听从官吏的劝告，放马喝水。结果河面骤然波涛汹涌，马匹果然被河中的怪物叼走了。椒丘祈大怒，仗剑下水，寻找怪兽决斗。椒丘祈与这怪物在水中连斗数日，才从水中上岸，一只眼睛被怪兽所伤，瞎掉了。从此，当地的人便把椒丘祈看做是神一样的人物，居然连这水中怪兽都奈何不了他。椒丘祈也觉得自己很荣耀，他带着一股王者归来的傲气，来到了吴国。

椒丘祈到吴国以后，正好赶上一个朋友去世，他前去参加葬礼。在葬礼的酒席上，他喋喋不休地夸耀自己的英勇事迹，还带着凌人的盛气，不把在座的所有人放在眼里。恰好要离就坐在这位椒丘祈的对面，面对他的喋喋不休，要离实在有点听不下去了，于是开口对椒丘祈说：“我听说天底下真正的壮士即便是与太阳决斗，与鬼神相争也不带有惧色，即便是打不过，也是活着去死着回，这样才不侮辱自己的名声。而你只不过是和水里面的一个怪兽相斗，结果马让怪兽吃了找不回来，还弄瞎了自己的一只眼睛，如此形残败迹，这是勇士的耻辱。你这样不敢以性命相搏，贪生怕死地逃回来，如今还敢在我们面前高声谈论，这简直丢人丢到了家！”要离这一番话说得椒丘祈哑口无言，没有脸面再在席间坐下去，他愤怒地走了，但却暗暗怀恨在心。

当晚要离回到家中，告诉妻子：“我今天在朋友的丧礼上当众侮辱了勇士椒丘祈，他这个人耿耿于怀必然会在今晚来咱们家中，千万不要关门。”妻子不解，可要离并没有给妻子询问的机会，妻子只得照做。到了晚上，椒丘祈果然来到了要离家中，见到大门未关，偷偷摸摸地进入到了要离的卧室，见要离并没有任何防备地躺在床上睡觉，便蹑手蹑脚地走到了要离的床边，一手用剑抵住了要离的脖子，一手抓住要离的头发，把要离弄醒。椒丘祈对要离说：“你这个人有三条可以死的罪过，你知道都是什么吗？”要离回答：“不知道！”椒丘祈说：“你在众人面前羞辱了我，这是第一条；回到家里居然还敢不关门，这是第二条；睡觉居然没有防范，这是第三条。”要离说：“我并没有三条该死的罪过，反而是你有三条违背勇士精神之行为，你知道吗？”椒丘祈道：“不知！”要离说：“我当众羞辱了你，而你却不敢当堂回应我，而是灰头土脸地走掉并暗暗记恨于心，这是第一；你见到我家没有锁门，也不咳嗽一声，进入我的卧室，也不敢发出声音，这是第二；你直到一手抓住了我的头，一手用宝剑抵住了我的脖子才敢出声，这是第三。你这三条愧对‘勇士’这两个字，你不觉得这是卑鄙的行径吗？”听了要离这一番话，椒丘祈把剑扔到了地上，仰天长叹：“我这样的勇士，天底下没有人敢看不起我。今天你要离居然对我如此藐视，你的胆色在我之上，真可谓是天下的勇士！”

吴王阖闾听到要离的故事以后，对勇士要离十分感兴趣，让伍子胥去把他请来。伍子胥找到了要离，跟要离说明了事情的原委，把要离带到了吴王殿参见吴王阖闾。阖闾一见到要离，立马打了退堂鼓，眼前这位“勇士”，身高不足一米六，弱不禁风，而且相貌奇丑，尖嘴猴腮。这完全不符合吴王阖闾心目中对勇士形象的记忆，这位“勇士”与自己曾经所用的专诸真是天差地别。要离向吴王阖闾一叩首，便道：“我是吴国东边的一个乡下人，手无缚鸡之力，风一吹就倒，但大王如果有什么命令，我拼死也会帮大王完成。”吴王阖闾听了以后更加没信心了，他没吱声，向伍子胥投来了无奈的眼神，而伍子胥则暗示阖闾，耐住性子，要对人家有礼貌。阖闾便对要离说：“我听子胥先生提起，你是天下勇士，我想派你去刺杀身在卫国、人称‘天下第一勇士’的公子庆忌，不知道你能完成任务吗？”要离回道：“我听说只想着在家里享受天伦之乐，而不去尽力为君王做事，这是不忠之人；感怀家人之爱而不除朋友之担忧，这是不义之人。刺杀庆忌这件事，如果能够博得他的信任，我虽然手无缚鸡之力，但若趁其不备而行刺，也不是件难事。请吴王砍掉我的右手，杀掉我的妻儿，将他们的尸首拿到闹市区焚烧，再悬赏千金捉拿我，这样，我必能不辱王命，完成任务。”

阖闾听了要离的这番“高论”，有点傻了，立马取消了对要离能力的怀疑。原来伍子胥所讲述的故事是真的，这要离能够成为天下勇士不是因为他身体多强壮，功夫多厉害，而是因为他完全是个亡命之徒。所谓“胆大的怕不要命的”，这要离不但是自己不要命，而且是不要家人的命，这样的人即便是在好勇轻死的吴国也是不常见的。天下的勇士想要的不外乎是荣誉、钱财这些东西，或是有更高尚的像专诸那样，为了气节、朋友等。而这个要离却好像可以什么也不为而去跟人拼命，这样的性格令阖闾真的是开了一番眼界。阖闾没想到自己会碰到一个这样的人，这位要离的确是刺杀庆忌的最佳人选，看来皇天不负有心人，自己这块心病终于碰到了能够将它医好的医生。阖闾于是按照要离的计谋，给要离扣上一个刺杀的罪名，当场砍掉了他的右手，并杀掉了他的妻儿，当众焚烧尸骨。这样做只为给天下人带来一种错觉：要离刺杀吴王失手以后，在逃跑的过程中不幸被吴王宫中的侍卫砍掉了一只手，但好在还是逃脱了。吴王阖闾为了泄愤杀掉了他的妻子和儿子，并昭告天下捉拿这位“凶手”。

要离的故事并没有被司马迁收录在《史记·刺客列传》中，可能是司马迁认为这个人的行为太过残虐，会对后人起到负面作用，而无法起到“以史为鉴”的目的。要离对“忠义”二字的理解仿佛过于偏激，让作为现代人的我们读起来甚至觉得匪夷所思。专诸是一位真正的义士，就连公子光对他都不可能以命令的口吻，而是动之以情，晓之以理。可要离的表现，却是一个彻头彻尾的奴才，对君王的话，唯命是从。当然，我们也不能够这样武断地做出判断，如果要离真是个小人，他也不可能对椒丘䜣说出那么一番大仁大义的话。他之所以这么做，可能并不是为名为利，而更多的还是缘于他的观念与常人不同。

要离与吴王阖闾上演的这一出苦肉计，可以称得上是苦肉计的极致，这应该令七百多年后东吴的周瑜与黄盖感到汗颜。凭借着这一出色的苦肉计，要离顺利地混入了庆忌的阵容，并且令庆忌对他极为信任。在二人的接触过程当中，庆忌越来越喜欢这位要离勇士的性格，他虽然弱不禁风，可从容淡定、处事不惊的胆量，却是无人能及。渐渐地，两个人成为了至交好友，要离的地位也逐渐与庆忌手下其他的死士们拉开了距离。

三个月以后的某一天，庆忌指挥手下的勇士们乘船前去吴国刺杀吴王阖闾。要离与庆忌是至交好友，自然同坐一条船。当船行至水中央的时候，要离抬起手中拄着的大矛刺向了庆忌。《吴越春秋》描写，要离因为身子弱不禁风，恐怕自己这一矛刺下去的力量不足以杀掉庆忌，还特意站在了迎风的位置上，刺杀庆忌的时候是顺风而刺。就这一下，刺中了庆忌的要害，可庆忌是天下第一的勇士，哪能那么快就死掉。他奋起将要离的头按到了水中，按一会抬起来，再按，如此反复了三次。庆忌把严重溺水的要离放在了自己的膝盖上，仰天大笑：“哈哈！你真是天下的勇士，居然敢用兵刃来杀我！”庆忌身边的人要对要离群起而杀之，可庆忌却将他们阻拦住了。庆忌说道：“我号称天下第一勇士，要离杀了我，他就成了天下第一勇士。怎么能在一天死掉两位天下第一的勇士呢？”随后吩咐手下人善待要离，不能加害于他，就一命呜呼了。庆忌真不愧“天下第一勇士”的名号，他的这番气概、度量就足以令他名烁古今。

要离的船行至江陵附近的时候，由于悲伤过度，停了下来。身边的人不理解，问他为何不继续行船，要离说：“我为了完成君主的命令，杀掉了我的妻儿，这是不义；为了新君王而杀了旧君王的儿子，这是不忠；庆忌已经被我杀了，可我却贪图生还，这还是不义。一个人的身上有此三件恶事，何以立身于世？何以面对天下之人？”说完，要离跳江自尽。身边的人赶紧把他打捞上来，告诉他，回到吴国，有高官厚禄等着你去享受。可要离却割断自己的手脚，流血而死。

很难想象一个人怎么能够连续做出这么多匪夷所思的事情，这要离真可谓是“天下第一奇人”。他三次提到了忠义的概念，分别是在面对椒丘祈、吴王阖闾以及杀掉庆忌以后。三次的理由听起来似乎都有哲理，可又互相矛盾。如果他杀掉庆忌以后所面对的不忠不义是成立的，那他又为何让吴王阖闾杀掉他的妻儿以成全这不忠不义之事呢？要离是个纠结的人，纠结于“忠义”的本质，却不知那句俗话“自古忠义两难全”。辩证地看，忠是面对国家，要用尽自己的力量，而义是面对朋友、同事，去尽力而为。很多时候，忠君，自然就是要舍弃义的，而太过重义，有时候又可能会伤害国家利益，这本来就是一件难以平衡的事情。后来孔子在建立儒家学说的时候，对“义”，重新下了一个定义，孔夫子说：“义者宜也”，所谓宜就是适宜、恰当。这是站在更高层面对“义”这个字的阐释。“忠”、“义”自然都是人们美好的品行，可即便是遵循美好的品行，也不要把事情做得过分，所以才有了儒家学者们奉为至理的“中庸”。

不管怎么说，要离杀掉了庆忌，从此，吴王阖闾再没有后顾之忧，终于可以专心致志地谋划伐楚的事情了。

第四章

搏兴：济济多士的黄金时代

吴王阖闾继位以后，带领吴国走向了一个新的纪元。这一时期，处于中国大陆版图上的各诸侯国之间的力量对比发生了变化。中原地区的霸主晋国，内乱加剧，政治权力被六家卿大夫瓜分，而彼此之间又勾心斗角，导致整体国力严重衰弱，这为后来战国初期赵、魏、韩三家分晋做好了铺垫。由于晋国的衰落，中原地区原本依附于晋国的小国如郑国、卫国、宋国，也纷纷脱离了晋国的怀抱，转而亲近山东半岛的另一个强国——齐国。齐国与晋国一东一西在中原地区对峙，其实也谈不上对峙，因为晋国根本就无暇管别国的事情。另一方面，传统强国楚国此时也是伤痕累累，君王孱弱、弄臣当权、人才外流导致楚国内部也接近于分崩离析，国力严重受挫。抓住了这样的机会，阖闾带领吴国迅速崛起。在阖闾继位短短的几年时间里，吴国的变化可谓天翻地覆，从人才任用，到军队建设，再到对外战争的胜利，吴国即将迎来历史上最为辉煌的时代。这一切，让我们沿着三个人的脉络往下说。

一、行人伍子胥：最会治国的全才

吴王阖闾继位以后，在他上位过程中出力最大的伍子胥，自然就成为了阖闾的头号重臣。而伍子胥也确实没有辜负阖闾的厚望，他上任以后，完全展示了他的政治才华。如果说寿梦时期的巫臣给吴国带来了发展所必需的技术、人才和野心，让吴国具备了强大的条件，那么伍子胥则给吴国带来了谋略，甚至是更加重要的身体力行。

伍子胥在吴国的官位是“行人”，这个官位在中原各国是“外交官”的意思，但伍子胥这个“行人”却与其他国家的“行人”不同，他在吴国完全扮演着“文臣武将第一人”的角色。

伍子胥所做的第一件大事是建造“阖闾城”。城的出现是人类社会进入文明时期的标志之一，在春秋时期，都城既是一个国家的经济中心，又是政治中心，所以一个国家的强大与否，与都城的规模、结构有着极大的关系。首先，城越大，可以容纳的人口就越多，需知无论是军事实力还是经济实力，在当时最根本的决定因素都是人口问题。因为在冷兵器时代，拥有基数越大的人口，才可能拥有越强盛的军队；在农耕文化时期，劳动力的主要构成是人，拥有越多的人口，才会有越发达的经济。其次，春秋时期的战争都是围绕城或关卡开展的，在当时，还没有边境布防的意识。作为政治中心的都城，城池越坚固，所能抵御的部队就越多，这样一个坚固而强大的都城是保护政治核心的根本。第三，春秋时期守卫都城的军队都驻扎在城里，城池的规模越大，所能驻扎的军队就越多。这样打防守战的时候才能越有优势。第四，春秋时期的交通运输不便利，粮食、草料等基本军需物品如果从其他城市或地区往中央调度，速度很慢，而且效率很低。都城的规模越大，围绕着都城的城郭就越大，城郭往往是种植作物的地方。这样一到战时，都城的军队得到的补给就越多，所能坚持的时间就更长。

总之，在春秋时期，拥有一座大规模、防御坚固的都城是一个强国的标志。无论是从实用的角度出发，还是为日后争霸中原做面子工程，以前吴王僚的都城规模都已经不够用了，于是伍子胥亲自主理，以吴王阖闾的名字命名，建造“阖闾城”。

有关于阖闾城的具体位置历史文献当中找不到确切的线索，学者们对于阖闾城的具体位置大概有两派说法：一派认为所谓阖闾城就是后来的姑苏城，也就是今天的苏州；另一派认为阖闾城的位置是在今天江苏省无锡市西南45里的闾江乡一带。2007—2008年，江苏省考古研究所通过对江苏省常州市雪堰桥与无锡市胡埭镇之间东临太湖，北靠胥山、虾笼山的遗址进行深入的考古调查和勘探工作，所长张敏先生认为，此遗址与文献当中记载的阖闾城有诸多相似之处，基本确认为当年的阖闾城。

根据这次考古工作的发现，配合历史文献，基本恢复了当年阖闾城的规模和样貌。阖闾城分为外城和内城，外城即大城，南北长约2100米，东西宽约1400米，呈长方形，面积约2.94平方公里。外城的大墙墙基宽约34米，外有城壕，这么大规模的城墙我们可以想象它抵御进攻的能力。内城分为东、西两个小城，两城的东西共长约1300米，南北宽约500米，占地面积约为0.65平方公里。城墙高出地面2—3米，墙基厚度约20米。

通过这次考古发现除了了解到伍子胥所建阖闾城的规模，还有一些意外收获。首先是在内城的东城发现了一口可以确认为是春秋时期打的水井。另外，西城南面发现了水门和成排的木桩，这说明阖闾城的水源引自闾江，闾江入大城首先在城外形成护城河，而后引入内城，供日常饮用，最后出阖闾大城后流入太湖。

大城北面是胥山，胥山脚下的胥山湾是肥沃的良田。而胥山的北面是龙山山脉，吴国在此筑造长城，这就形成了天然的军事屏障。东面是太湖，是吴国水军天然的训练基地。阖闾大城主要居住民众和士兵，大城包围内城，这又是一道防御。而内城的西城才是宫殿区，是吴王以及公卿、大夫们居住的地方。

如果这座古城真是当年阖闾城的遗址，那么后来夫差兵败的姑苏城一定不是这里，而是又经过了一次迁都，迁到了今天的苏州，当然还有的说是苏州西南7公里左右的地方。但也有学者不认可这种说法，他们主要认为这座城的规模有点小，而且不利于发展，不应该是当年伍子胥所建之城。考古学上的事情无法做出定论，因为随着考古学的发展，可能还会不断有新的发现，我们期待着有新的资料能够证实伍子胥所建之阖闾城的确切位置。但不论怎么说，仅从我们介绍的这座小城当中也能看出，伍子胥的筑城思想是以军事实用性为主的。

建造阖闾城，应该算是伍子胥的首件丰功伟绩，除此之外，伍子胥作为吴国第一重臣，当然要负担起管理政治、确立治国制度的工作。然而关于伍子胥治国的策略，在传统的典籍当中记载并不十分详细，往往是只言片语，更多的描述则侧重于其在战争中运筹帷幄的表现。但在1983年湖北省江陵247号汉墓出土的一批西汉竹简中，发现了一部兵书，叫做《盖庐》。这部书中出现了大量吴王阖闾与伍子胥的对话，这其中反映出了伍子胥当时带领吴国走向霸业的治国思想和军事策略。

伍子胥在治理国家，推动国家经济进步的决策上，最成功的一条便是“民本主义”。在春秋时期，社会等级的观念根深蒂固，在贵族阶层的眼中，老百姓是为他们服务的。老百姓帮他们干活，提供赋税，满足他们的物质享受；帮他们打仗，替他们开疆拓土，并且守卫他们的安全；老百姓甚至作为贵族们的附属品可以赐予下级，就如同贵族们的私有物品。伍子胥打破了这种传统上的概念，他认为百姓才是国家的根本，一个国家是否强大，不在于贵族们的生活是否安乐，而在于百姓的生活如何。伍子胥的民本思想在实施的过程当中主要包含了三个大的部分：推行德政、遵循天道、保民无饥。

伍子胥推行德政的主要方法是把老百姓当中破坏社会安定的以及镇压民众的人挑出来，让其他的百姓安于劳作。对于那些富贵不仁、不孝不敬、不慈不爱、欺行霸市、不服管教、不和邻里、贪赃枉法、不事耕作的人用法律的力量从群众中铲除掉；对于安分守己的百姓要给他们公正的待遇，给他们充分的时间和空间生产劳作，积蓄财粮。伍子胥还要求吴王和卿大夫们遵循天道，并提出如果王和卿大夫们都能遵循天道，那国家便不会有疾病，不会有盗贼，不会有暴乱，连妖孽也不敢出来，周边的蛮夷都会来归附，国家自然会长治久安。并且说明兵是天的刑罚，粮是地的恩德，所以顺应天时，遵循地德就可以兵粮充足，霸业可待。第三，伍子胥对老百姓口粮的重要性认识得十分透彻，所以他一再强调不能让老百姓挨饿，碰到天灾的时候要动用国家的一切力量帮助老百姓填饱肚子。这种思想和老子、孔子的思想有很多切合的地方。如果这本《盖庐》确为伍子胥所作，或是在伍子胥执政时被史官所记载，那伍子胥除了是著名的军事家和治国良臣外，还应该算做是思想家和哲学家。

虽然伍子胥的民本思想相较后代还显得很稚嫩，并且从后来吴国的发展轨迹中可以看出，吴国最终还是抛弃了民本，走上了一条军国主义的道路，但拥有这样具有跨时代意义的思想在春秋时期是很难得的。

二、战神孙武：最会打仗的客卿

春秋这段时期是中国历史上一个纷繁复杂的时代，也是中国历史上的第一个大分裂时期。这个大分裂时期虽然政治上混乱，战火不断，但却成就了中国历史上第一次思想、文化的高潮，被后人称为“百家争鸣”。“百家”当中有一家被称作“兵家”，专门研究战争及军事策略等学问。兵家人才辈出，流传给后世很多著作，第一部著作就叫做《兵法》，其作者是孙子，所以这部著作也被后人称做《孙子兵法》，又因为这部著作被分为十三个篇章，也称为《孙子兵法十三篇》。

根据《史记·孙子吴起列传》的记载，孙子名为孙武，也就是我们这一节的主人公。但奇怪的是，这位大名鼎鼎的军事家孙武先生，其本人的事迹在《左传》当中却只字未提，所以导致一些后代学者们怀疑孙武在历史上是否确有其人。《左传》是研究春秋历史的一部重要著作，其中对春秋时期各历史事件所发生的时间、地点等记述非常准确，也由此奠定了这本书在历史学研究中的重要地位。单从这一点出发，学者们确实有理由怀疑。所以历史上对于《孙子兵法》的作者还存在数种说法，这其中比较流行的一种是说由战国时期孙膑所著，还有的认为是三国时期曹操编撰的等。这一争论一直延续着，直到1972年4月，在山东临沂银雀山发掘的两座汉代墓葬中同时发现了用竹简写成的《孙子兵法》和《孙膑兵法》，这段数百年的争论方告结束。再根据《史记·孙子吴起列传》、《吴越春秋·阖闾内传》等历史文献的记载，孙武应该确有其人，《孙子兵法》的作者也被确认为吴国的客卿将军——孙武。

孙武是齐国人，将门之后，其曾祖、祖父都是齐国的名将。可是到了孙武的年代，公元前532年，齐国爆发了极其严重的内乱，史称“四姓之乱”。这使得不喜欢政治、想要远离政治漩涡的孙武离开齐国，南下来到吴国，过起了隐居的日子。孙武唯一的爱好就是研究兵法，所以在其隐居期间，他开始潜心钻研兵法。他这个人是个军事天才，虽然喜欢军事，却并不主张打仗，所谓“主和而不主战，伐谋而不伐兵”，所以他的军事思想和当时其他的军事家完全不同。著名的《孙子兵法》便是诞生于这一时期。除了研究和写作，孙武还结交了他一生中对他影响最重的好友——吴国重臣伍子胥。

吴王阖闾上位后，表现出了巨大的野心和胃口。或许是为了证明自己比吴王僚更加称职，或许是在他上台之前早就决定了要有一番作为，阖闾上位以后，立马听从伍子胥的建议，发展军事力量，准备攻打楚国，甚至日后有可能的话还要争夺霸主之位。阖闾几乎每天都找伍子胥谈论如何能够战胜楚国，而这一点，正对伍子胥的心意，他当年怀揣着对楚国的血海深仇来到吴国，经过了数年耐心的等待，此时他扶植的公子光已经正式继位，恨不得立马亲率军队打到楚国的首都灭了楚王，为自己的父兄报仇。

可是在探讨的过程中，二人都发现了一个问题，打仗不是一个简单的活儿，以吴国的力量想要吞掉楚国有点像蚂蚁吞象。这样的战争需要完整的军事部署，需要大量的人才，除了士兵、将士，还需要数位像他们俩这样能够在战场上指挥全局的将军。可吴国除了他们二位，还有一个不是很听话的夫概，他是阖闾的弟弟，除此以外，再没有其他能打的将军了。最要命的是，这二位也无法全身心投入战争，吴国想要灭楚不能简单地依靠军队实力，还要凭借国家的综合实力，阖闾已经不是公子光，作为吴王他有更多的工作要做，不可能像以前那样整天就只是带着军队东征西讨；而伍子胥此时作为吴国的首席官员——“行人”（与当年巫臣的儿子子狐庸同一官名），相当于后来的丞相，除了带兵打仗还要抽出更多的精力治理国家。所以说，人才并不是在21世纪才最贵，早在两千多年以前的春秋时期，人才就很重要。这个时候，伍子胥想起了自己那位正在隐居的朋友孙武。

就这样伍子胥向吴王介绍了自己的这位朋友——孙武，介绍了孙武的出身、背景、经历，以及现在的状态。吴王一听眼睛就直了，这个人竟然拥有中原强国军事世家的背景，然而吴王还是要有吴王的架子，还是得有吴王的范儿，不能随便推荐什么人自己就要立马接见的。于是，尽管求贤若渴，阖闾也耐心地等待到伍子胥第七次跟自己提起这位孙武的时候，才决定接见这位来自齐国的军事家。

根据《吴越春秋·阖闾内传》的记载，孙武觐见吴王阖闾时，带来了自己在隐居期间所创作的《兵法十三篇》，并在大殿之上亲口为阖闾诵读。孙武创作的《孙子兵法》并不是以个人口吻所作，而是站在一支军队的最高指挥官，甚至是君王的角度所写，这很对阖闾的胃口。阖闾每听完一篇，就不自觉地点头，甚至拍手叫好。

吴王阖闾听完了这部具有跨世纪意义的兵法自然对孙武刮目相看，可是却将信将疑，因为这推翻了他以往对战争的认识，不要忘了，阖闾当年可是战功赫赫，实战经验极其丰富的。按照孙武的说法，一支军队的战斗力主要取决于如何训练和军事制度，一个懂得兵法能够恰当指挥军队的将军，就能够训练出一支作战能力超强的军队，并且以此取得战争胜利，而士兵本身的素质并不重要。严格而行之有效的训练即使是面对一群乌合之众，也能够打造出一支铁师。这件事从理论上说得通，可实际操作起来究竟能不能达到这样的效果？出于这样的怀疑，阖闾向孙武出了一道难题，那就是把他心爱的这些后宫佳丽训练成一支具有战斗力的军队。

于是，司马迁的《史记》当中便有了孙武训练后宫女兵的一段传奇故事。阖闾在后宫中选了180位美女，这其中有宫女，也有自己的姬妾、宠妃，并嘱咐她们听孙武调遣。孙武把她们分为两队，由阖闾的两位宠妾做队长，发给每个人兵器。当然，孙武本人心里也在打鼓，不过他心里已经盘算好如果这些大丫头不听指挥要如何做。孙武耐心地告诉这些大美女们胸口对着的方向叫做前，后背对着的方向叫做后，左手的方向叫做左，右手的方向叫做右。发令向前，大家就要向前走，向左，就要向左转弯……孙武讲解完毕怕众美女没听明白还特意重复了几遍，并且把军中用来行刑的兵器斧子啊、钺啊摆在了前面，严肃地告诉大家什么是“军令如山”，如果不服从命令，这些原本应该招呼到敌人身上的家伙就要往她们身上招呼。

做完这一系列的布置孙武开始击鼓下令，不知道是孙武长得太帅还是他那山东人的口音在江苏人的耳朵里听起来很搞笑，他下达命令以后这些大美女完全没有反应，还笑成了一团。孙武也不慌张，他义正词严地说道：“这次你们不服从命令，是因为我没把军纪说清楚，是将军我的失误。”于是他又将纪律强调了一遍，接着再次击鼓下令。可这次大家还是笑成一团。这时，孙武说：“上次没把军纪说清楚，错在我，但这次军纪已明，你们故意不遵守，就是你们的罪过了。”说着便要将两个队长斩首。阖闾一听就急了，心说我就是想考验考验你小子，结果你还要杀我的爱妾，忙出来制止：“我已经知道你会练兵了，可是我没了这两个爱妾，连吃饭都不香，还是别杀她们了吧？”可孙武却说：“我已经接受了您的命令指挥这支军队，在行伍中，就不能再听您的君命了。”结果阖闾就眼睁睁地看着自己的两个宠妾的头颅被孙武砍掉了。这一下，其他的美女们都傻了，或者说是被吓懵了。孙武重新选出两个队长，这一次，美女们都怕自己因漏掉命令而丢掉性命，积极配合孙武的训练。结果，训练速度非比寻常。

事后，可能是出于对自己宠妾的心疼，阖闾看到孙武的时候总是觉得怪怪的，甚至有点怀恨在心的感觉。阖闾并没有给孙武一个正式的军职，只是封孙武为将军。在春秋时期，将军有着很多种不同的理解：第一种是当年公子光的那种将军，又或是楚国子重、子反的那种将军，是指贵族阶层的一种官职，孙武的将军当然不是这一种。第二种将军是带兵打仗的将军，就是后来所说的参将、裨将之类的，孙武当的也不是这一种。根据《史记》简略的记载，我们大概可以判断出，孙武所担任的这个将军有点类似后来的军师，就像孙膑、诸葛亮的这种角色。由于当时的官名还没有分得那么细致，所以孙武笼统的被封了一个“将军”。这并不是一个国家机关或者军队的正式官衔，只是一个临时参谋的位置，也就是说，孙武其实算不上吴国的正式官员，用今天的话说，他在吴国其实就是个“帮忙的”。事实上孙武在吴国也确实不是最重要的人物，起码是比不上两个人的，一个就是带领吴国争霸的第一重臣伍子胥，第二个就是太宰伯嚭。但是他的思想对吴国产生的影响却比前面两位更为深远。或者可以理解为，伍子胥和伯嚭身体力行为吴国做了很多实际工作，而孙武则是在思想上指引了吴国前进的方向。

在后来对楚国发动的战争中，孙武的军事思想发挥了至关重要的作用。吴国后来能够九战九胜楚军，甚至攻破了楚国的都城郢，与良好地吸收了《孙子兵法》中的思想精髓密不可分。孙武的《兵法十三篇》，不但增强了吴国军队的战斗力，还提到了政治、民生等根本的问题，这些使孙武的价值不仅仅体现在战争指挥官的角色上，更体现在其参与国家整体战略部署，为吴国带来长期繁荣的战略眼光上。

然而，吴国人对《兵法十三篇》的内容并没有完全掌握，这也导致了占领楚国一年后的大败。《兵法十三篇》中多次提到了军队大规模、长时间征战会给国家带来的危害，这些危害主要来自于四个方面：一是旷日持久的战争会使军队疲敝，消磨锐气；二是使国家开支不足，国家、百姓贫穷；三是造成农业生产力的巨大破坏；四是军队长期在外给其他诸侯国可乘之机。吴军攻入楚都城郢以后，在楚国驻扎了将近一年之久，后来楚臣申包胥去秦国搬来救兵，打得吴国大败而归，而越国趁吴国空虚偷袭吴国，这些结果完全印证了孙武在《兵法十三篇》里的预言。这同时也说明了一个问题，就是孙武在吴国政权里的地位问题。孙武已经预想到了这些，如果他说话有分量的话他是一定不会让吴国落此结局的。如此推断，孙武在吴国掌握的权力并不大，也没有左右君心的能力。

总体来说，孙武的思想虽然影响到了吴国的发展，带给吴国一种新的军事、政治思路，但是他在政治地位上并不是一个很重要的角色。孙武没有担任正式的国家机构官职，也没有被赋予卿、大夫这样的贵族身份，虽然职务地位尊贵，但却是非正式。再根据孙武本人的性格，恬淡而不好出风头，喜欢“立言”大于“立功”，这些大概也是孙武未被《左传》、《国语》等史书记载而且不显于春秋那个年代的原因。《兵法十三篇》并不是孙武为自己所作，而是为国家撰写，孙武本人也在吴国破楚以后再没有什么记载。根据史实推测，孙武在灭楚以后要么英年早逝，要么退隐归田，并没有更多的作为。历史总是这样，能够对后代影响深远的人物并不一定在他活着的年代就声名鹊起，而很可能是通过自己的著作，在其去世以后多少年才被后人发掘并传诵。

最后值得一说的是，孙武本人虽然未显于春秋，但他的后代可是出了很多不得了的人物。其中有一种说法认为战国时期的孙膑就是孙武的后人。《三国志·吴传》开篇就提到了三国时期东吴政权的开创者孙坚，也是孙武的后人。其子孙权后来继承父、兄留下的基业创立吴国，历史上，那个吴国由于和本书所写的吴国是同一个名字，为了加以区分而把后来那个叫做“东吴”。这么看来，孙武的后代建立的政权曾经稳占天下的三分之一，这成就比他本人的“老板”——吴王阖闾的成就还要高得多。

三、太宰伯嚭：最懂心术的重臣

吴王阖闾继位不久后，另一位对吴国历史影响深远的人物也来到了吴国，这个人和伍子胥一样，也是楚国人，并且有着和伍子胥类似的身世，他的名字叫做伯嚭。伯嚭是受到伯父的株连被灭门，只身一人跑了出来，可能是想起了伍子胥也在吴国，而且混得不错，所以也投奔吴国来了。他和伍子胥同病相怜，在楚国有着共同的敌人。他的故事还要从曾经陷害了伍子胥的父亲伍奢的那个楚国弄臣——费无极开始讲起。

我们前面说过费无极这个佞臣，他曾经运用阴谋手段干掉了伍奢。从此以后，这个小人便尝到了陷害的“甜头”，各种阴谋伎俩几乎是无所不用其极。在费无极的观念里，对楚王以及比他高贵的几位卿大夫自然要拍尽马屁，而他们没有关注自己的时候，当然要结党营私，培养自己的势力。在这种小人眼里，最看不惯的就是那些性格正直、努力工作、两袖清风的人物。对于这样的人物，费无极往往要运用他的阴谋手段将其铲除。

伯嚭的伯父伯郤宛恰恰是这样一个人。伯郤宛是楚国的大夫，官做得也很大，担任左尹一职。其父亲伯州犁原是晋国的贵族，后来遭到政治迫害逃亡到了楚国，贵族地位得以保留。顺便提一下，春秋时期各国对于其他国家前来投奔的贵族，处理方法往往是保留其贵族身份，但是降低一个级别。所以伯州犁到了楚国还是贵族，而且曾经很有权力，在其去世以后伯郤宛就继承了父亲的爵位。伯郤宛工作态度认真，为人正直，这样的性格又当了大官，正好就是令费无极讨厌的那个类型的人。其实在伯郤宛与费无极二人之间，并没有什么冤仇，就仅仅是因为性格的差别，令费无极感到很难受，于是，他想要置伯郤宛于死地。从这件事我们可以看出，费无极是个绝对的小人，堪称小人中的一朵奇葩。

费无极习惯性地动了使坏的念头。可是怎么干掉伯郤宛这个眼中钉还是个问题，明刀明枪肯定是不行，人家毕竟是大夫，是贵族，凭自己的官位干不掉他，那就只能像当年干掉伍奢那样使用“借刀杀人”的阴谋手段了。借谁的刀呢？费无极想起了一把可以利用的“刀”，这把“刀”叫做囊瓦。

囊瓦，字子常。史书里提到他时多称子常，可是对于他这样的笨蛋，我们还是直呼其大名吧。囊瓦是当时楚国的令尹，楚国的官制跟其他中原国家不同，令尹是楚国的最高干部，相当于其他国家“相”这个位置。这个人头脑昏庸，行事愚蠢，贪财好色，而且怀疑心重。这样的一个人是如何当上“令尹”的，史书中并没有记载，但这至少可以证明另外一件事，就是任用他的两位楚王也聪明不到哪里去。

如此可以看出，费无极是个极懂得尺度的人，他当年陷害太子建用的是楚平王这把“鬼头大刀”，而如今害伯郤宛，就没有必要再动用楚王这种“重型武器”了，改用令尹这把“朴刀”就可以。难怪费无极害人一害一个准，他对人与人之间关系的把握可以说已经达到了“登峰造极”的地步。费无极仅仅动用他肚子里坏水的一点点就想出了一个利用囊瓦干掉伯郤宛的绝妙计策。他首先利用了囊瓦贪财的这一性格，告诉囊瓦左尹伯郤宛要请他吃饭。囊瓦当然很乐意，因为左尹请他吃饭肯定是要求他办什么事，而求他办事肯定不能白求，自然要给他准备礼物的，于是乐乐呵呵地答应了。费无极又跑到伯郤宛的家里，忽悠他说令尹想来你家做客，单纯的伯郤宛当然欢迎，领导来私访，这是一件荣耀的事，立马答应下来。可费无极接着提醒他，令尹是个爱财的人，你要给人家准备点礼物。这着实令伯郤宛为难，因为自己两袖清风，家里实在没有什么可以拿得出手的礼物。于是费无极告诉他令尹最喜欢的就是兵器，让他准备五副盔甲、五样兵器就可以了。

春秋时期官员没有文武之分，文官、武官的概念是秦以后才出现的，这一点从吴国的官员中就可以看出来。伍子胥、伯嚭、孙武，包括继位以前的公子光都既是朝中决策事务的文官，又会在必要的时候披上铠甲拿起武器，带兵打仗，有时候甚至还会亲自走进战场去杀敌。所以伯郤宛尽管是个清官，家里拿出几副铠甲几件兵器还是不成问题。费无极还告诉伯郤宛，送礼和贿赂只是叫法不同，为了避嫌也不能光明正大，要把准备好的礼物遮挡起来。

就这样，在宴会的当天，伯郤宛按照费无极的“指点”，把兵器、铠甲用幔帐遮好，堆在了门后，等待领导的大驾光临。而就在这一天的早上，费无极又来到了囊瓦大人的家里，“紧张”地告诉囊瓦千万不要去赴宴，因为左尹伯郤宛设下了埋伏想要做掉令尹大人。囊瓦很生气，后果很严重，他派人跑到伯郤宛家里调查此事，结果确如费无极所说，前来调查的人在左尹家的后门发现了用幔帐遮盖着的兵器和铠甲。来调查的人将消息如实回报给囊瓦，以囊瓦的智商当然会认为这是左尹挖好了陷阱要杀害自己。于是，囊瓦大人很生气，血往上涌，心说伯郤宛啊伯郤宛，咱俩无冤无仇，你这么个小东西居然敢对我这个“令尹大人”包藏如此祸心，设下陷阱要置我于死地。囊瓦这个一根筋的人照着这个路子越想越生气，后来干脆调集军队，将伯郤宛全家灭门了。

伯郤宛全家被灭，只有伯嚭这一个侄子逃出生天，跑到吴国。在说新的问题之前，我们还是先说一下楚国那边后来的事。俗话说“善有善报，恶有恶报”，以阴谋伎俩陷害忠臣的小人费无极当然最终不会有好的下场。关于他的下场有两种说法：一种是囊瓦后来向公子申等人询问，发现自己错怪了伯郤宛，一怒之下又杀死了费无极；另一种是楚国人民因为囊瓦杀害了伯郤宛而不满囊瓦，囊瓦羞愧之下杀死了费无极。无论哪种说法属实，这个小人最终的下场，都是死于自己的阴谋陷阱之下。而蠢蛋令尹囊瓦的下场我们还要详细说，这里大家少安毋躁。

伯嚭因为和伍子胥有着相似的身世，又有着共同的敌人，得到了伍子胥的同情，被他举荐给了吴王阖闾。伯嚭这个人很聪明，从后来的事迹当中我们不仅可以看出他很聪明，甚至还有点滑头，或者说有点心术不正。据说伯嚭初见吴王阖闾的时候为博得阖闾的同情，还用了通常女人才会用的招数，就是哭。这一哭把阖闾的心哭软了，把伯嚭留在了身边。

人往往在寄人篱下的时候会特别努力，史书当中没有记载伯嚭初到楚国时的所作所为，但我们可以猜测他来到吴国以后，肯定会特别努力地工作，因为他是个聪明人。他在初到吴国还没站稳脚跟的这段时间，并没有表现出太大的贪欲，满心想的就是如何借助吴国的力量报仇雪恨，所以此时他对伍子胥可以说是恭恭敬敬，为训练吴国军队也可谓尽心尽力。在阖闾九年的伐楚战争中，孙武为大将，伯嚭则同伍子胥一样，担任副将之职，三人相互配合，指挥吴军五战五捷，使楚国几乎陷入绝境。

伯嚭还是个善于变通的人，这一点从他后来当了大官以后的所作所为能够看出。越王勾践夫椒之战失败以后，带着五千残兵被围在山上。越国大夫文种为解此围带着丰厚的“礼物”前来求见伯嚭，伯嚭因此向吴王求情放了他们一马。再后来吴王夫差兵败，姑苏城破的时候，伯嚭还建议夫差像当年勾践那样向越国人投降称臣，保全性命。此足以看出伯嚭是个善于“变通”的人。

靠着投其所好、善于变通、努力工作这些优势，伯嚭在很短的时间内就取得了吴国上下的信任，并被吴王封为“太宰”。吴国的官制与中原各国不同，与较早发展起来的蛮夷楚国也不同，有学者认为“太宰”的职务相当于中原各国的“相”和楚国的“令尹”，是吴国的一把手，并由此推断伯嚭的官职超过了伍子胥。伍子胥的官职是“行人”，按照中原各国的官制，“行人”相当于今天的外交部长，如果按照这样的说法伯嚭的官职确实超过了伍子胥，但有一个问题证明这样的理解可能是错误的。吴王寿梦时期，申公巫臣的儿子子狐庸在吴国当的也是“行人”这一职位，可从子狐庸在吴国所发挥的作用以及其建议对寿梦产生的影响来看，明显就是“一把手”的位置。而且伯嚭是伍子胥引荐给阖间的，伍子胥早在阖闾尚未即位的时候就加入了阖闾的阵营，并且阖闾上位，伍子胥功不可没。再加上后来伍子胥一直在吴国发挥的作用，仅仅通过官位的名称判断伯嚭的官大过伍子胥应该是不成立的。最起码在吴王阖闾时期，伯嚭的地位肯定是次于伍子胥的，至于有没有高过孙武还要另说。伯嚭真正得到重用，坐上吴国官员中“第一把金交椅”应该是夫差时期的事情。

有关伯嚭后面的故事，我们留在以后再讲。但有一个问题我们需要在此说明，伯嚭虽然身世和伍子胥相似，都有着共同的敌人费无极，但二人还是有着很大的区别的。首先，伯嚭的仇人是楚国的几个人，这些人包括费无极、囊瓦，还有帮着囊瓦灭了伯郤宛全家的那帮走狗，因此伯嚭并没有像伍子胥那样仇恨整个楚国。而伍子胥的真正仇人有两个，第一个是费无极，第二个就是楚平王，最终杀害他父兄的是楚平王下的命令，而楚平王现在已死，伍子胥对楚平王的仇恨转嫁给整个楚国。第二，伍子胥和伯嚭的关系并不是那么简单，最关键的，伍子胥本人其实也应该算是伯嚭的仇人之一，因为伍子胥的爷爷伍举当年是楚灵王的头号重臣，而伯嚭的爷爷伯州犁在公元前541年被楚灵王杀害，这与伍子胥的爷爷脱不了干系。当时的伍举很有可能扮演了后来类似费无极那样的角色陷害了伯州犁。

另外，这个世界上有君子，有小人，不是说君子就好，小人就不好，而是君子具有君子的特质，小人具有小人的特质。先不论伯嚭是个好人还是坏人，他一定是个“小人”，这是没有争议的。小人往往爱财、自私、好以己心度人之腹。在同样一种情况下，君子和小人的态度往往不同。比如，同是寄人篱下，君子往往感恩，而小人往往心怀怨恨。而当经历过寄人篱下又出人头地的时候，君子往往怀揣着感恩的心情报效当年收留自己的那个人家，而小人往往要显示自己的能力、财力，甚至鄙夷当年收留自己的那个人家。伯嚭是个小人，日后，他还会有很多令君子不齿的行为。

四、复仇者联盟：团结一致灭强楚

阖闾九年（前506年），吴国对楚国发动了大规模的战争，九战九克，顺利攻破国都郢城。伍子胥和伯嚭终于完美地实现了他们的复仇计划，阖闾也终于得偿所愿，成为了吴国历史上最有影响力也是功劳最大的一位国君。这段故事，还要从头说起。

吴王阖闾继位后，马上就对楚国发动了一次战争。这次战争的真实目的是“斩草除根”。我们前面说过，阖闾发动政变以前曾劝说吴王僚派他的两个弟弟盖馀和属庸趁着楚国国丧期间去伐楚，结果失败，两人被困在了楚国。阖闾政变成功以后，吴王僚的两个弟弟归降了楚国，楚国令尹囊瓦特意为吴国这两个公子在舒地建造城池，就是为了利用他俩的复仇之心报复吴国。阖闾既然对庆忌不放心，还特意派要离前去刺杀，自然对吴王僚的这两个弟弟也是寝食难安，于是便有了吴王阖闾时期第一次伐楚战争。

这一次战争并不艰难，此时伯嚭已经来到了吴国，由伯嚭和伍子胥率领的部队浩浩荡荡开到了盖馀和属庸二位公子的城下。围城七日，楚国前来援助的沈尹戌自知无法战胜吴国的军队，刻意延缓进军，最终导致楚国大败，城破，二位公子被砍头。据说伍子胥在这次战役中还运用了一种先进的战术——在城下唱起了吴国的乡音。由于守城的楚军都是当年随二位公子前来的吴国人，听到这歌声就想念起自己的国家，想起自己的家人，纷纷越墙倒戈，这才导致战争进展得如此顺利。这种战术在三百多年以后被汉高祖刘邦运用得淋漓尽致，不费吹灰之力逼得楚霸王项羽在江边引颈自刎。

此后吴王阖闾又想发大军伐楚，被伍子胥拒绝。虽然伍子胥、伯嚭二人都是复仇心切，但他们还能做到对形势进行准确客观地分析，并且以国家的利益为重，最起码，伍子胥能够做到。伍子胥拒绝的理由是，楚国现在还很强大，吴国还没有把握在全面开战的情况下一举战胜楚国。同时，伍子胥也制定出了一个更为行之有效的方法，那就是依照几十年前晋国骚扰楚国的方法，将军队分为三军，轮流袭扰楚国，令楚国人疲于奔命，拖垮他们。如此建议令阖闾眼前一亮，成本小，回报高，他立即采纳了伍子胥的提议。于是在第二年，吴军以一万人左右的兵力，先后进攻楚国的夷、潜等地区，楚国方面还是由沈尹戌将军领大军救援，可每到一处，吴军都事先撤走。这一年之中，吴国数次进攻楚国，但没有一次与楚国大军交手，而楚军因为四处救援，疲于奔命。据说这种打法后来被军事学家命名为“游击战”，也是两千多年后红军最为擅长的打法。吴国军队这样的骚扰一直持续到阖闾五年（前510年），搞得楚国人疲于应对、痛苦不堪。

阖闾五年，吴国改变了对楚国的策略，不再对楚国出兵袭扰。这种策略的改变，可能跟孙武的到来有着极大的关系。孙武的战争思想无疑比伍子胥和伯嚭的境界要高，他根据当下的情况，重新帮阖闾分析了楚国现在的国内情况：内部权力阶层严重腐败，国君懦弱，大臣贪婪。这样的一个国家之所以没有分崩离析就是因为还有我们在不断骚扰他。现在如果继续骚扰等于是帮助楚国加强向心力。如果没有我们这样的外患，楚国内部的腐败就会扩大，整个国家就会更快地丧失战斗力，到那时才是我们一举灭掉楚国的时机。

果如孙武所料，没有了吴国的外患，楚国的内忧加剧了。阖闾六年（前509年）是楚国的各附属国前来朝贡的时间。春秋时期臣属国向大国的朝贡与后代不同，因为楚国再强大也还是西周的诸侯国，所以这时的朝贡往往是象征性的，朝贡的物品也往往是特产或者奢侈品，并不具有真正的可以换算的“市场价值”。但这些物品当中也不乏一些稀奇的、令人感兴趣的东西。此时令尹囊瓦大人的贪婪已经达到了一定的“高度”，在各国的贡品当中，他看上了唐成公和蔡昭公原本要送给楚王的皮衣、玉佩和两匹叫肃爽的宝马，非要据为己有。这两位国君也犯了执拗病，偏偏不给囊瓦。就因为这一点小事，囊瓦在没有正当理由的情况下硬是监禁了两位国君三年。唐国和蔡国的先祖都是西周的公爵，都拥有周王室的血统。本来迫于楚国这样的“蛮夷”的武力威胁臣属，心中已经是大大的不爽，此时国君还被楚国的一个官员非法监禁了三年，这口气无论如何也咽不下去。

忍受了三年的屈辱生活，二位国君终于被送回本国。蔡昭公首先发难，他向晋国求助，要求晋国帮忙发兵讨伐楚国，并声明自己不再臣属于楚国，要转而臣属于晋国。可此时的晋国也是内部斗争不断，六卿各自为政，都在忙着保护自己的地盘，根本无暇管外面的“闲事儿”。蔡国不但没有得到晋国的援助，还被一肚子坏水、负责晋国诸侯事物的卿大夫中行寅给支了个坏招。中行寅让他攻打沈国，这样就会逼迫楚国首先发难，攻打蔡国，如此晋国就有借口趁机出兵，帮助蔡国攻打楚国。在春秋时期，战争也需要借口，所谓“师出有名”就是这个意思，尤其是在满口仁义道德的礼仪之邦，更看重借口。即使一个国家的军事力量再强大，也要抓住别人的“小辫子”才能出兵，否则是要激起公愤的。蔡昭公天真地认为这是一个好主意，于是出兵攻打沈国。结果是如愿以偿地引来了楚国的军队，可晋国人却并没有遵守承诺出兵助蔡。蔡国此时已是兵临城下，万般无奈的蔡昭公恨晋国恨得牙根都痒痒，可也没有办法，只能转而向相对强大，并且一直与楚国有仇的吴国求助。就这样，吴国在沉默了数年以后，终于等来了自己的机会。

顺便提一下，这中间，楚国令尹囊瓦还在阖闾七年（前508年）的时候主动发动了一次伐吴的战争。吴军采用了孙武的计谋，在豫章用水军诱敌，陆军主力部队绕道楚军背后，两面夹击，打得楚军丢盔弃甲，落荒而逃。吴国也乘胜占领了楚国的大巢，并且活捉了楚国的公子繁。

于是，伍子胥大人亲自来到蔡国当了一回仁义大哥，告诉蔡昭公我们帮你，把蔡昭公感动得五体投地。吴国轻松俘获了蔡国的心，同时也得到了与蔡国一起遭受奇耻大辱的唐国的响应。

阖闾九年冬，吴国开始实施自己的灭楚复仇计划。吴国此次出兵的目的并非只为解掉蔡国的围城之忧，而是想要一举消灭楚国。所以他们并没有选择“围魏救赵”的军事策略，没有直奔楚国首都，而是准备将对方的有生部队一步一步地蚕食。就这样，吴国倾巢出动，吴王阖闾带着伍子胥、孙武、伯嚭以及其弟夫概，率领吴国几乎是所有可以动用的军队，约三万人，浩浩荡荡地到蔡国与楚国的主力军决战。吴军先是沿淮河向西，在淮河口登陆，与蔡国和唐国的主力部队会合，之后转而攻击楚国围蔡的部队。此时楚国部队的统帅还是那个令尹囊瓦，他一听说吴军到来赶紧撤退到豫章，并渡过汉水在西岸布防。

吴军不依不饶，紧随其后地来到了汉水，在东岸驻扎，双方隔汉水对峙。依照囊瓦的想法，吴军的战斗力太强，应该避过其锋芒，不与之对决。作为进攻方，吴军不可能随身携带太多的战争物资，而己方毕竟是在自己的国土，可以随时调集粮草补给，因此，楚军应该据险死守，等吴军把粮草耗尽，就会主动退兵。可司马沈尹戌则认为楚军分散在楚国各地，兵力无法集结，易被吴军各个击破，同时，吴军孤军深入，已经来到楚国的腹地，又无险可守，此时正是一举歼灭吴军的大好时机，主张主动出击。但即便是主动出击，也不能以现有的军队与吴军盲目对决，沈尹戌想出的办法是由囊瓦凭借汉水之障与吴军周旋，正面牵制吴军，而他自己去方城调集楚国兵力，迂回至吴军侧后，毁坏吴军舟船，焚其粮草，断其归路，然后与囊瓦二军夹击吴军，必能大胜。囊瓦一听不错，接受了沈尹戌的建议，派他去调集军队。可以说，沈尹戌在此时的楚国还算是一位头脑聪明的将领，他的两次军事决策都是正确的。然而俗话说“不怕没好事，就怕没好人”，正当沈尹戌赶赴方城调集军队的时候，囊瓦身边的两个大夫——武城大夫黑和大夫史皇为了拍令尹大人的马屁，利用囊瓦贪功好胜的心理，怂恿囊瓦不要等沈尹戌的军队，否则会被沈尹戌抢了头功。就吴军的那点军队，自己应该主动出击，过江打吴军个措手不及，歼灭吴军。

囊瓦被一通马屁拍得失去了判断力，他忽然觉得自己很高大，手下的将士们也很神勇，甚至比吴军还要神勇。又想着凭借一己之力，消灭吴军主力部队，这是多么大的荣耀啊！于是便单方面改变了与沈尹戌商定的夹击吴军的计划，不待沈尹戌军到达，便擅自率军渡过汉水攻击吴军。吴军的数量要远远少于楚军，据军事学家分析，楚军的数量此时大致相当于吴军三倍左右。吴军于是抓住这个机会，主动撤退，诱敌深入，将楚军引入小别山与大别山之间，并在此地与楚军三次交战，大获全胜。这严重打击了囊瓦的信心，他想要带领军队撤退，可是已经来不及了，作为军队的指挥官，他又不能独自逃走，只能硬着头皮继续作战。还好，吴军的抵抗没有那么激烈，在三次交战以后吴军继续撤退，而囊瓦也率领着楚军继续追击，好像希望把吴军赶入一个不利的地形好一举歼灭。

就这样，吴军一边与楚军作战，一边继续后退，一直退到柏举这个地方，才停住了脚步。此时的地形已完全属于丘陵地带，楚军的战车不利于施展，而吴军的步兵不受地形的局限，可以发挥得淋漓尽致。就这样，阖闾九年十一月十八日，吴军与楚军展开了历史上著名的柏举之战，这是中国军事历史上一次著名的以少胜多的战役，也是春秋时期规模庞大的一次战役。春秋时期虽然战事不断，但很少有如此大规模的军队对决，一般都是以吓为主，服了就行。因此，这场战役甚至被史学家评价为“东周时期第一个大战争”。战争的过程大概是孙武将军安排夫概所率领的5000精兵直接发起对囊瓦所率领的中央军的冲击。夫概是一员猛将，他所率的这5000人也是吴军当中最为精锐的敢死队，战斗力极强。他们所向披靡，导致囊瓦的中央军一触即溃。中央军溃败导致楚军其他战阵的军队失去了指挥，乱作一团，阖闾及其他几位将军趁势发起了总攻击，结果这一阵冲锋打得数倍于吴军的楚国部队落荒而逃。

柏举之战失败，囊瓦抛弃军队逃往了郑国，而失去了主帅的楚国残军向西逃至清水又被吴军追上。夫概提议趁楚军渡清水的时候半渡而击之，如此又歼灭了楚军的一部。剩余的楚军继续逃亡，阖闾不依不饶。可能是阖闾知道自己的军队人数太少，不敢给楚军集结部队的时间，因此发狠地在后面追，这导致楚军逃跑得相当狼狈，甚至狼狈到做好了食物都没有时间吃掉，又得继续逃亡的地步。

吴军一鼓作气追至雍澨，遭遇了率军回援的楚国司马沈尹戍。双方又展开雍澨之战，这一场战役是吴军入楚以后第一次遭到的比较有效的抵抗，战争的过程也相当惨烈。沈尹戍打败了夫概的先锋军，但却被阖闾所率的部队从外部包围。失败已经成了定局，沈尹戍是个有气节的楚将，见无力回天，想到这一次未能阻挡吴军，吴军必定会攻入都城，沈尹戍命令部下割下了自己的首级，以不被对方俘虏。

此时距离柏举之战过去了九天，还在都城的楚昭王听说前线部队战败，害怕了，竟然不顾大臣们的反对，携带家属亲信逃走了。听说楚王已经逃走楚军彻底失去了战斗力，吴军五战五捷，一路向着楚都郢城挺进。

阖闾九年的十一月二十九日，吴军破城，吴国人怀着强烈的报复之心闯进了楚都郢城。为什么吴国人要报复？伍子胥和伯嚭的原因就不用说了。其他人呢？第一，吴国曾经是楚国的附属国。第二，吴国与楚国已经交战多年，其中吴国虽然胜多负少，可吴国的战士们毕竟也有很多在战场上阵亡的，眼见那么多战友战死沙场，剩下的吴国士兵能不怨恨楚国吗？第三，同为中原人眼中的蛮夷之国，楚国靠着强大的军事实力就能够出人头地，而吴国此时还不入流。第四，吴国人想要灭掉楚国已经很久很久了，从寿梦联晋抗楚，到此时已经经历了六代吴王。总之，出于很多原因，吴国人进城以后就全都变成了杀人的恶魔，杀红了眼，男的全部杀死，女的全部留下……烧杀抢掠，其放肆程度达到了极致。如果说吴国的将士们当中还有一个人保持理智的话，这个人便是孙武。无论是站在战争艺术的角度还是保护人类的高度，孙武对吴军此时的暴行痛心疾首。可单是一个孙武将军也左右不了大局，其他几位将领已经失去了理智。孙武也只能眼睁睁地看着吴国全军上下在郢都肆意为非作歹。

在享受胜利果实以及肆虐战败国的过程中，吴国的几位灵魂人物首当其冲。第一个就是吴王阖闾，破城以后率领着亲兵卫队直奔楚昭王的后宫，他要享受一下楚昭王的“床”，据说和吴王阖闾一起享受楚昭王“床”的，除了楚昭王的后宫众嫔妃，还有楚昭王的夫人和母亲。第二个是阖闾的弟弟夫概，楚昭王的宫殿被哥哥霸占了，这个武夫则直奔另外一处富丽堂皇之所——令尹囊瓦的家。夫概毫不客气，把囊瓦这个废材所收集的大量财宝和女人都据为己有。但是夫概并没有杀囊瓦家的男人们，因为他知道有个人比他更想杀，这个人就是和囊瓦有着血海深仇的伯嚭。伯嚭城府较深，并没有像阖闾和夫概那样猴急，他等夫概享受完以后才带着人把囊瓦家的男人们斩草除根，之后也去找其他大夫家里的女人们去了。

这些人当中，复仇手段最变态的就是和楚国仇恨最深的，也是整个吴国最有才华最有思想的伍子胥了。他最大的仇人是楚平王和费无极，可这两个人早就已经躺到了坟墓里。但这并没有难倒大才子伍子胥，伍子胥大人的做法是，带人掘开楚平王的坟墓，把已经腐烂成骷髅的“楚平王”从墓中揪出来，用鞭子沾上辣椒水抽了三百下，把这个“楚平王”抽得支离破碎。这就是“鞭尸”这个名词最早的来历。伍子胥的这一举动不但创造了一个名词，还震惊了当时各诸侯国的贵族阶层，甚至引来其后两千多年人们持续不断的议论和评价。毕竟，即便是“君不君，臣不臣”，也不应该在人家死后还如此不依不饶。

其实在春秋时期，臣子叛变的事例数不胜数。所谓“良禽择木而栖”才是当时卿、大夫们的心态。而且在当时，一个国家的贵族跑到另外一个国家，也会享受“贵族”的待遇。这种情况可能是因为那名义上的天下共主，当时虽然诸侯割据，但毕竟真正的“天子”只有一个，是周王室，而其他各诸侯国的“王”，从名义上并不是真正的王。所以贵族其实是周朝的贵族，而并不是各诸侯国的贵族，换句话说，即使是诸侯国的贵族，最初不也是人家周朝分封的吗？所以一百多年以后的孟子才能说出“君之视臣如土芥，则臣视君如寇仇”这样的名言。至于中国人那种无条件忠于君王的“忠君”意识，其实是宋代理学兴盛以后的事情，所以像岳飞那样的“愚忠”在春秋时期几乎是不存在的。百家争鸣时，真正提倡“忠君”的其实是法家，所谓“君要臣死，臣不得不死”就是法家的著名言论。

至此，楚国的国都被攻破，楚昭王及一干贵族、大臣流亡，另外一部分公卿贵族没来得及跑掉的或者在战争中死去，或者被破城以后屠杀。吴国灭掉了楚国，楚国暂时退出历史舞台。总结一下，尽管当时吴国的综合国力应该不如楚国，但吴灭楚应该不算偶然，原因如下：

（一）吴国此时人才济济，吴王阖闾头脑聪明、思路清晰且能征善战。三位吴国的顶梁柱伍子胥、伯嚭、孙武增强了吴国军队的向心力，尤其是伍子胥和孙武，都是战神一级的人物。军队中还有夫概这种“猛张飞”似的人物做先锋。所以吴国的军队战斗力极强，我们千万不可以被吴国军队少得可怜的人数所蒙骗。

（二）楚国早已被权臣奸相们弄得分崩离析，此时的内政简直就是支离破碎。绝大多数的贵族掌权者都在谋求一己私利，而缺少国家的荣誉感、使命感和责任感。事实证明在吴灭楚的战争中，至少有两个地方是可以转败为胜的，第一个就是如果军队总指挥囊瓦先生不怀有一己私心，耐心等待沈尹戌的配合，应该不会有柏举之战的大败，运气好的话在汉水就可以打退吴军。第二次就是如果楚昭王不逃走，亲自统兵展开保卫战，凭借楚都郢城的规模和军事防御能力，吴国的三万军队想要破城是难上加难的。冷兵器时代的攻城战不像遭遇战，几十米厚的城墙，如果城内部队奋勇抵抗，即便是攻城方士气高昂，攻城设备先进，通常也是需要几倍于守军的兵力才可以拿下一座城池。而像楚都郢城这种规模的城，凭借吴国的那点兵力，选择围城简直是痴人说梦。可楚昭王这一逃走令城内的将士们失去了抵抗的意义，他们不知道这城是为谁而守，干脆就放弃了抵抗。

（三）春秋时期，各国布防的方式与今天不同。各国之间一般边境不设防，主力部队一般驻扎在都城，而其他的部队也都驻扎在各个关口或城市。吴军的三万部队并没有一路深入楚军腹地的能力，但楚军主力部队一路向着都城的方向逃跑其实在侧面帮助了吴军更快地抵达郢都。如果主力部队不是这样疯狂地向大后方逃跑，即便吴军顺利向着楚都挺进，中途的各地方部队应该还有阻挡吴军的能力，楚国的后方也可以从容地组织第二次甚至是更多次的抵抗。这个方面应负主要责任的就是楚国令尹囊瓦，他抛弃军队自己逃跑，导致军中无帅，士兵们只能像无头苍蝇一样往家跑。

如此看来，吴国这次灭掉楚国并不是完全靠自己的实力，很大一部分原因是楚国人在自己给自己挖坑。但不管怎么说，吴国达到了自己在历史上的第一次巅峰，一个曾经的臣属国，通过努力灭掉霸主，这在春秋时期还是个案。吴王阖闾、伍子胥、孙武、伯嚭等人也都凭借着这一壮举，在他们各自的人生舞台上华丽亮相，熠熠生辉。从寿梦到阖闾，直至此时，吴国终于在历史中脱颖而出，如果说巫臣、子狐庸、寿梦那一批人为吴国奠定了发展所必需的基础，此时的阖闾、伍子胥、孙武、伯嚭等人则终于带领吴国，吹响了未来争霸的号角。

此后将近一年的时间，吴人并没有想着如何巩固自己的胜利果实，他们所做的只是在楚都肆无忌惮地享受他们的胜利果实。原因很简单，吴人此时还像个暴发户，他们根本没想过灭楚的过程会如此简单和顺利，在来之前，他们也没有想过灭楚之后他们应该如何。所以他们能做的，只是发自本能地享受。吴人并没有意识到，楚国的历史并没有结束，此次沦丧只是为另一次崛起埋下伏笔。虽然此时的楚国上到楚昭王，下到贵族、军队都失去了灵魂，但楚国还有英雄，一位平时不显山不露水、行事比较低调的楚国贵族，此刻默默地承担起了复国的大任。

五、短暂的胜利：申包胥哭秦廷复楚

吴人没有扩大自己的战争果实，一是以他们的军队数量，无法全面控制楚国，二是郢都对他们的诱惑太大，所谓“温柔乡就是英雄冢”，这句话放在占领郢都以后的吴国将士们身上实在是无比贴切。阖闾只是派出了一小股部队去追杀楚昭王，但楚昭王逃到了随地，并被臣子斗辛带着家兵保护了起来。遭遇阻碍，这一小股吴军也就放弃了追杀，回郢都和其他人一同享受去了。楚昭王因此逃过了一劫。而楚国的另一位大人物——令尹囊瓦就没有这么好运了，这个大蠢蛋跑到了郑国。郑国虽然是楚国的附属国，可此时楚都已经被吴人攻破，就连楚昭王现在是生是死也不知道，楚国的政权处于流亡状态，这样的形势下郑国人当然不会对囊瓦客气。在好吃好喝地招待了几天之后，当吴国派来使者，要求郑国交出囊瓦的时候，郑国人毫不客气地杀死了这位“令尹大人”。

接下来为了让读者能够把握吴国故事的整体性，我们先放下吴国，说一说楚国的一位传奇人物。早在伍子胥动身逃往吴国之前，他碰到了他的一位好朋友，这个人叫做申包胥。二人的友谊极其深厚，彼此之间也是极为信任。根据《左传》的记载，伍子胥临行之前曾向这位好友发誓，说他一定要灭掉楚国。出于友谊，申包胥很赞成伍子胥的雄心壮志，告诉他一定要努力。可是申包胥也是春秋时期少有的忠臣，他并没有因为他与伍子胥的个人交情而忘记对国家的忠诚，所以他又补充了一句：“如果你灭掉了楚国，我也必然会令楚国复兴。”通过这简单的两句话，我们可以看出申包胥是一个既矛盾又坦诚的人，他对朋友够义气，给朋友以鼓励，但同时又坦诚地告诉他的朋友，他不会为了朋友的情意而改变自己的操守，这样坦诚而有操守的人，在春秋时期，也算得上一号人物了。

当吴军攻破楚都郢城的时候，申包胥逃出了城，跑到山上躲了起来。当申包胥听说伍子胥掘开楚平王坟墓并且鞭尸的时候，还托人给伍子胥捎来了一封信。信中写道："你这样报仇实在是太过分了，不管怎么说楚平王也曾经是你的君主，你如此掘墓鞭尸，世界上还有比你这种做法更没有天道的吗？我听说虽然人的力量有时能够战胜天理，但也必然会遭到天理循环的报应！"当然，伍子胥也并非寡言穷词之辈，他毫不客气地给申包胥回了一封信，说道："我就像一个太阳快要落山但归途却很遥远的行人，所以只能违反常理、不择手段了。"申包胥收到这封回信以后并没有暴跳如雷，反而格外淡定："你伍子胥的誓言实现了，你颠覆了楚国的政权，那么下一步，我也要去履行我的诺言，去拯救楚国了。"

想到这，申包胥行动了起来。想要复国，依靠楚国军队的力量是不可能的，楚国早已经被打残了，尽管各地方军队还有一定的残余势力，但想要组织起有效的反抗是不可能的。如今，只有借助外部的力量，才有复国的希望。纵观当时各诸侯国，与吴国有较量的实力，有可能帮助楚国复国的，应该说只有三个国家，一个是中原霸主晋国，可晋国一直与楚国有仇，而且当年就是扶植吴国对抗楚国的冤大头，想要依靠晋国人不太可能。另一个是齐国，齐国虽然军事力量雄厚，可与楚国隔着十万八千里，再说人家和吴国也没怨没仇，巴不得坐山观虎斗。而最后一个，就是当年护送周平王东迁有功，被分封在今天陕西省西部，常年与北方少数民族战斗，拥有强大军事力量的秦国。秦国与楚国接壤，出兵也不用借道其他国家。申包胥看清了这一点，确定了自己的方向，想要复国，只能去寻求秦国的帮助。

于是，申包胥朝着秦国的方向出发了。以申包胥当时的情况是不可能找到任何交通工具的，因为他是偷着跑掉的。从今天湖北省荆州附近的楚国郢城到陕西省凤翔附近的秦国国都，这一路少说也有几百公里，靠着两条腿，今天的我们很难想象出会是一番什么样的景象。《吴越春秋》中记载申包胥这一路奔袭的情景用了十二个字：“昼驰夜趋，足踵跖劈，裂裳裹膝。”翻译成今天的白话文就是不分白天黑夜地快速急行，脚走肿了，脚趾头都走裂了，膝盖承担不了这样大的负荷就把衣服撕下来裹在膝盖上。

申包胥靠着强大的复兴国家的热情和意志力挨到了秦国，冒充楚昭王特使的身份见到了当时秦国的国君——秦哀公。申包胥大义凛然，向秦哀公痛斥吴国的恶行，并为自己的国君楚昭王流落于草莽的情况痛哭流涕，可秦哀公却拒绝出兵。申包胥见软的不行，又开始威胁秦哀公，说像吴国这样的狼子野心，若是真正占领了楚国的全部国土，则会与秦国的疆土相邻，若是那样的话，秦国早晚成为吴国人的下一个攻击目标。可秦哀公还是无动于衷，打发人把申包胥安置在宫廷外，好生休息。

申包胥的心碎了，如果秦国真的不发兵，那楚国就彻底完蛋了。想想自己连日奔秦受到的苦难，想想自己国家的大仇不得相报，这位忠君爱国之臣拒绝饮食，在秦廷大声哀嚎，如此连续七日。如果史料是真实的，从申包胥的身上我们可以看出一个人的意志力可以有多么的强大。当郢都被攻破，他就一直隐姓埋名躲在山上，不可能吃好睡好；连夜奔袭，就算申包胥大人腿脚再快，一日一夜奔袭一百公里，从郢都到秦都也要一个多星期的时间，这其中又不知度过了多少个不眠之夜；来到秦廷，在不吃不喝不睡觉的前提下，哀嚎痛哭了七天七夜，这哀嚎痛哭可是个体力活，其耗费体力的程度不亚于快步疾行。申包胥大人拥有着如此强大的精神毅力，实在令我们佩服得五体投地。

这七天，其实是申包胥在心理上与秦哀公博弈的七天。申包胥的分析不是没有道理，秦哀公虽然嘴上拒绝，其实心里不能不考虑，但当时的情况过于复杂，秦哀公短时间内也无法对形势做出准确判断，不敢鲁莽行事。是否出兵帮助楚国人复国这件事，秦哀公至少要先想明白四个问题：第一是为什么要帮你复国，第二是帮你复国我有什么好处，第三是不帮你复国我有什么坏处，第四是如果出兵，能不能打赢吴国的军队。作为一国之君，秦哀公当然不能拍热脑门做错决定。

首先，当时的秦国与楚国相比还比较弱小，商鞅变法带领秦国走向强大是一百多年以后的事情，此时秦国的国土面积小，人口少，军队的数量也不是很多，只是长期与游牧民族对抗，军队的战斗力比较强。秦楚两国相邻，楚国吞并了它周边那么多的小国，秦国是凭借着天然的地理屏障才没有被楚国打起小算盘，从这个角度出发，楚国被灭不见得是一件坏事。第二，秦国人完全不了解吴国，春秋时期通讯很不发达，吴国地处蛮夷，与秦国相隔着十万八千里，秦国不可能了解吴国的实力以及吴国人的想法，秦国根本无法判断吴国灭了楚以后会不会来攻打自己。可申包胥了解，伍子胥是楚国人，而且还是申包胥的好朋友，伯嚭也是楚国人，所以申包胥对吴人将来可能灭秦的说法，秦哀公不得不信。这一点，成为了二人博弈当中，申包胥最大的筹码。对于第三个问题，尽管吴国军队迅速占领了楚国的都城，但从吴国人攻破楚都郢城以后的做法来看，吴国的军队也不见得是不可战胜的。吴国人占领郢都以后并没有继续扩大胜利果实，看起来好像没有全面占领楚国的野心。吴国的将士们一直在郢都烧杀抢掠，荒淫纵欲，此时的吴军应该也没有了破楚时候的士气。而且秦国如果发兵，目的也不是歼灭吴军，只要把他们赶走就可以了。这样看，秦哀公还是有把握获胜的。第四，秦国如果帮助楚国复国，能够和楚国建立一个良好的交情，这样做对自己还是有利的。况且，秦国不用害怕吴国，只要楚国复国，吴与秦相隔着庞大的楚国，吴人不可能也没有能力找秦国的麻烦。秦国还很有可能在战争中获利，小发一笔战争财。

经过了充分的分析，秦哀公认为，出兵帮助楚国是一件划算的事情，这是一笔投资小、回报高的生意。于是，在申包胥大人哭了七天七夜以后，这场博弈终于以申包胥完胜而告终。秦哀公决定发兵救楚，派出子蒲、子虎率领五百辆战车给申包胥救援楚国。秦哀公当然不会告诉申包胥自己的如意算盘，这只能是二人心知肚明却不可言传的事情，那么，秦哀公出兵就成了送楚国一个人情，既然送人情就要送得漂亮一些，临行前秦哀公还作了首诗送给申包胥，提高了自己此次送人情的境界，诗的名字叫做《无衣》，这样写道：

岂曰无衣？与子同袍。王于兴师，修我戈矛。与子同仇！
岂曰无衣？与子同泽。王于兴师，修我矛戟。与子偕作！
岂曰无衣？与子同裳。王于兴师，修我甲兵。与子偕行！

这首诗后来被孔夫子收入《诗经·秦风》，使我们今天还能见到。申包胥哭秦廷的故事，也流传于世间，后来还被多个戏曲剧种采用，成为经典剧目。

申包胥带着秦军士气昂扬地向着郢都出发了，而此时在郢都的吴军将士也确如秦哀公所料，早已被楚国的女人掏空了身子，欲望满足的同时也使他们丧失了斗志。就这样，吴国人来得快，去得也快，占领郢都以后短短几个月的时间，就被秦楚联军逼着跑回了吴国老家。在回去的过程中，还发生了一件大事——阖闾的弟弟夫概篡权了。在撤退的过程中，夫概是第一个跑的，在大部队刚刚踏上归途的时候，他就迅速回到了阖闾城。这个莽夫可能是在郢都受到了刺激，回来以后也要过过吴王瘾，尝尝当一把手的感觉。这应了因果循环的道理，阖闾上了楚昭王的“床”，随后又被夫概上了自己的“床”。可阖闾的军队也不是吃素的，毕竟伍子胥、伯嚭、孙武还是站在自己一方的，大部队回归后，三下五除二就干掉了夫概。夫概这一次并没有掀起什么波澜，对吴国的历史也无大的影响。

吴国短暂的辉煌宣告结束。当然吴国日后还会有更大的辉煌，那就是成为春秋霸主。但此时的吴国，需要冷静头脑，休养生息，重新组织部队，因为他们马上还要面临自己命运中更大的敌人——越国。

六、干将莫邪：传说中的铸剑大师

在阖闾时期，吴国涌现出了一批著名的历史人物，这些人使吴国的历史生动、辉煌。在这些人中，除了贵族、官僚队伍当中的伍子胥、孙武、伯嚭几人，还有一对拥有着更加生动、传奇故事的夫妇，丈夫叫干将，妻子叫莫邪。他们都是铸造宝剑的大匠人，他们的名气，来源于他们所铸造的两口宝剑。因此，干将莫邪的故事，既属于这二位铸剑大师，又属于两口宝剑。

中国历史传说中属于神兵利刃的宝剑很多，从黄帝使用的轩辕剑，到春秋时期的湛卢、鱼肠、泰阿、七星龙渊、巨阙、纯钧、承影、工布、干将、莫邪，汉高祖刘邦所佩的赤霄宝剑，再到三国时期曹操所佩的倚天、青釭，唐宋以后的青龙、青霜、邪九、灵宝等，数不胜数。这些名字，有的确见于历史典籍，有的则是流传于民间，每一把都有着精彩绝伦的故事，每一把都仿佛拥有着自己的生命和灵性。这些宝剑之所以出名，有的是因为佩戴它们的人出名，有的是因为其本身锋利无比，有的是因为其在著名的历史事件当中扮演了重要的角色。而我们要说的这两把宝剑干将与莫邪，则是因为铸造它们的过程太过匪夷所思，并且蕴含着春秋时期那两位伟大的铸剑大师对宝剑真谛的独特阐释。

首先，这两把宝剑确有其物应该是毋庸置疑的。战国时期的文献《墨子》、《荀子·性恶》对此二剑的名字都有提及，汉朝典籍《战国策》、《吴越春秋》，也都提到了这两把宝剑。但在考古方面，自1965年以后，在今天江苏、浙江地区出土的大批春秋时期的青铜剑当中，却没有发现这两把宝剑的身影。由于年代久远，这两把宝剑以及他们的铸造者干将、莫邪夫妇的故事与传说版本很多，我们先从《吴越春秋·阖闾内传》中的记载说起。

干将是吴国人，和春秋时期第一铸剑名师欧冶子出自同一师门。阖闾因为从越国人手中得到了这师兄弟二人所铸的三把宝剑（其中一把就是专诸刺王僚时使用的鱼肠剑），而知道了干将其人，于是就命干将再替他铸造两把更加锋利的宝剑。

干将采得了“五山之铁精”，“六合之金英”开始铸剑，这些原材料具体指的是什么今天我们已无法得知，但肯定是干将所能找到的天地间最佳的铸剑原料。可是问题也随之而生，以当时的铸剑技术，炉火的温度无法化开这些极耐高温的原材料。干将很苦恼，试了很多方法都没成功。就这样，三个月的时间过去了，干将的宝剑还是没有出炉。

干将的妻子莫邪很聪明，一下子就看出了问题的关键。于是她便向丈夫提出了自己的看法，她说：“如此的神兵利器，想要铸造成功，需要天地人三才相合。原材料既然是大地蕴含的至精之物，那么所需要的天时与人和也自然会更加苛刻。”干将听了以后若有所思，他想起自己的老师为了能够铸造出真正的神兵利器，不惜与妻子双双跳入炉火当中，增强炉火当中的阴阳二气以运化原料，今天的自己可能也碰到了同样的问题。

就在干将想要效仿老师，投身于炉中的时候，聪明的妻子又想出了一个既能保全性命又行之有效的办法。她拿出剪刀，剪掉自己的指甲与头发，投入炉火当中，又派三百个童男童女重新在炉中加炭，拉动风箱。刹那间，炉火大盛，炉中的金石开始交融，炼造了宝剑两把，一阴一阳。这两把宝剑出世，果然不同凡响，吹发断金，锋利无比。干将、莫邪夫妇共同铸造了此二剑，又恰巧是一阴一阳，于是就用他们的名字为宝剑命名，阳剑叫做干将，阴剑叫做莫邪。

对于干将这位视宝剑如生命，并且随时准备为铸剑事业而献身的铸剑大师来说，获得了这样的两把宝剑自然是爱不释手。于是，他把阳剑干将藏了起来，只把阴剑莫邪献给了吴王阖闾。阖闾也很喜欢，想要将它作为贵重的礼物献给鲁国来的使者季孙。季孙看到这把宝剑的剑刃上有一个小米粒大小的缺口，并没有接受，且留下谶言："如果此剑完好，吴国霸业可成，一旦此剑产生缺口，吴国将会灭亡。"

这样的桥段看起来不像真实的历史故事而更像是传说，可是根据《吴越春秋》的记载，接下来的故事更加匪夷所思。吴王阖闾得到莫邪宝剑之后，又悬赏百金铸造最为锋利的"金钩"。钩和剑一样，也是当时吴国流行的一种兵器。吴国能够铸造钩的人很多，这其中有一个人贪图重赏，也想学习干将的老师，以身体炼钩。可又没有人家那么高的境界，居然把自己的两个儿子投入到炉火当中。金钩炼成，献给阖闾。阖闾问他凭什么认为这两把金钩最锋利，这个人就把牺牲了两个儿子的事情告诉了阖闾。阖闾不相信，把钩扔进众人献来的许多钩中，问他怎么能够分辨出哪个是自己炼出来的。这个钩师便冲着钩堆大喊两个儿子的名字，双钩仿佛受到了感应，飞到了这位钩师的胸前。阖闾看到如此骇人的场面马上就相信了，赶紧命人把丰厚的赏金奉上。从此，这两把钩也和莫邪宝剑一样，与阖闾形影不离。

虽然这两段故事看起来更像是传说，可《吴越春秋》的作者，东汉时期的赵晔毕竟是一位有操守的学者，在描写这段故事的时候即便是有夸大的成分，也不可能完全是捕风捉影。虽然为了铸造宝剑利器把人的身体直接投入炉火当中，在今天我们的思想意识里实在难以接受，但像莫邪那样剪掉自己的指甲、头发投入炉中我们还是可以接受的。当时的人们虽然没有今天自然科学的概念，但通过长时间冶炼的经验，还是应该可以理解到，火焰颜色不同，温度不同，所能炼化的材料就不同。投身炉火，或是将人体的某些附件或者材料投入炉火，无疑是为了增加火焰的温度，而必须要增强火焰温度则说明，所冶炼的原材料并非当时常用的原材料。从干将、莫邪两把宝剑铸造的故事当中，我们可以分析出，当时吴国最尖端的冶炼技术应该不局限于青铜器，干将所采来的原材料很可能是比青铜硬度更佳的铁。如此说来，干将、莫邪以及阖闾后来得到的金钩，之所以能够成为当时赫赫有名的神兵利刃，很可能是在原材料上有了突破，他们可能是历史上最早的铁器。这也侧面说明了吴国当时冶炼技术之高超，并且很可能是领先全国甚至是全世界的。那么，吴国军队超强的战斗力也很可能和他们的先进兵器相关。即使大规模生产的兵器还是青铜器，但冶炼方法的领先，也可以在一定程度上增强兵器的强度与韧性。

关于干将莫邪的传说还有很多版本，在民间最广为流传的并不是我们所讲的《吴越春秋》这个版本，而是糅合了干将老师的故事的版本：为了融合天地之气，夫妻双双投身炉火当中，而随着“人之气”的介入，天地二气完美地交融在了一起，原本顽固不化的矿石，终于化身为两口锋利的宝剑。好像故事这样讲，听起来才够凄美，才更加能打动人心。两口宝剑成了两位铸剑大师生命的延伸，雌雄双剑也凸显了他们的爱情。为了纪念这对夫妇，今天苏州还有干将路、莫邪路，在浙江德清，甚至还有一座以他们夫妇二人的名字命名的山——莫干山，也是著名的四大避暑胜地之一。

第五章
敌友：与越国的恩恩怨怨

吴国和越国是一对老朋友，老到什么程度呢？可能吴国的老祖宗泰伯、仲庸初建政权的时候就和这位老朋友打过照面。越国和吴国一样，也是一支来自中原的血脉，但越国的血脉更古老，古老到可以追溯到开创夏朝的大禹身上。

一、守陵人：越国的来历

相传，大禹治水成功以后，他的声望如日中天，中原各地的部落都来朝见，甚至纷纷表示愿意臣属于大禹的部落。大禹去世以后就埋葬在他曾经大会诸侯的地方——今天浙江省绍兴市的会稽山。大禹死后，他的儿子夏启把王位从大禹的指定继承人手中抢了过来，并且开创了夏朝，这是中国历史上的第一个王朝。

夏朝延续了近五个世纪，最后被商朝所取代。在此期间他们的统治地位并不是一直牢固而不可撼动的。当夏启的政权传至太康手里的时候，这位太康并不是一位英明的君主，他喜欢到处去游猎，经常好几个月也不回朝，于是，被有穷氏的后羿篡了权。后羿在中国民间也是响当当的人物，流传度极高的神话故事“后羿射日”的主角就是他。可是不久后，后羿又被寒浞“杀而烹之”，夏朝的历史进入了寒浞代夏的时期。

亡了国的太康逃走后，族人又立其弟仲康为王。仲康当王后没多久就去世了，又立了儿子相。相当王的时候，寒浞害怕夏朝的旧势力重新崛起，又带部队攻击相的部落，导致相的部落彻底被吞灭。相死的时候，他的一个妻子逃了出来，逃到了母家有仍氏部落，并且生下了相的遗腹子，这个遗腹子就是历史上有名的少康。

后来，少康借助有仍氏部落以及夏朝旧部的力量消灭了寒浞，复兴了夏朝，成为夏朝最伟大的君主之一，这段故事历史上称为“少康中兴”。少康复兴夏朝以后，又带领夏朝走向了新的辉煌。当百姓安定、国泰民安的时候，少康想起了自己的老祖宗大禹，他的坟墓在远离夏朝统治的区域，没有人去祭祀。于是，少康派自己的庶子无馀前去守陵。无馀率领着自己的族人，来到会稽这个地方驻扎下来，建立了一个小政权，他们一边为大禹守陵，一边在此生活，这便是越国最早的来历。

二、兄弟不亲：吴越数次交锋

吴国和越国是一对老朋友，他们地处邻里，国土交界；他们拥有着相似的背景，都是中原伟大血脉的后裔；他们同为“侨居蛮夷”，被中原各种势力所鄙夷。可是，一方的率先崛起，打破了这种和谐。吴王寿梦是一位伟大的君主，他从中原各国学习先进的文明，又得到中原霸主——晋国强有力的援助，率领吴国崛起。此时的越国却还处于荒蛮的状态，生产力、军事还很落后。从此，这两个国家的综合国力发生了巨大的变化，从原来的肩膀头一般齐，到越国被吴国彻底落下。实力的变化也导致了双方关系的变化，吴国从吴王余祭的时代开始，就经常欺负越国，而越国虽然实力不行，但也不甘心被欺负，转而与楚国站在一条战线上，与吴国对峙。

根据《左传》的记载，在阖闾以前，吴国与越国的交锋大概有过三次，分别发生在吴王余祭时期的前544年、吴王余昧时期的前537年以及吴王僚时期的前518年。这三次战争中除了第一次是吴国主动攻击越国，其余的两次都是越国跟随楚国伐吴。由此可见，越国虽然弱小，但好战的程度并不亚于吴国，而且从一些资料上分析，越国人“好勇轻死”的程度甚至还要高于吴国。历史上的这三次交战都不是大规模的战役，双方投入的兵力也都不多，结果并没有对双方的国力造成重大影响。史料当中并没有对这三次战争过程的详细记载，但根据当时双方军事实力的情况来看，吴国的优势应该还是比较明显的。但吴王余祭的死却和第一次战争有关，余祭用越国的一个俘虏做“阍”，阍相当于现在的保安，主要工作是看大门。有一次余祭视察战船，被这个“阍”给刺杀了，这算是这次战争的后遗症吧。

阖闾时期，吴国和越国的矛盾进一步激化。阖闾主要的军事目标一直都是楚国，他上位以后一直把精力放在对楚国的战争当中。可我们前面提到过，在阖闾五年的时候，孙武为阖闾献上一计，停止对楚国的袭扰，从而加剧楚国的内部矛盾。这段时间吴国不再对楚国出兵，可是阖闾也没闲着，就在这期间，他发动了第一次针对越国的战争，结果当然是吴国胜。但这一次也并非大规模战争，只是抢夺一些资源罢了。但这一次战争所造成的影响却远比前面的三次要大得多，因为此时的越王并不是一个平庸的君主，他的名字叫做允常。

史书当中对允常的记载虽然不是十分详细，但说他向南方开疆拓土，称王，形成了越国千里之境的国土，由此可见，允常是一位有作为的君王。阖闾发动的这次战争让允常怀恨于心。阖闾十年（前505年），趁着吴军的主力部队在楚国郢都时，越王允常发动了一次复仇之战。这是一次试探性的进攻，遭到吴军抵抗的时候，越国很快就撤兵了。但这应该算是吴越相争的过程中，越国的第一次胜利。这次战争还导致了一个结果，就是夫概篡权，拥兵自立。夫概之所以有这样的胆量，也是因为事先与越王允常通了气儿，越国人答应支持他，虽然后来阖闾反攻回来的时候，越国并没有出兵配合夫概。

阖闾的军队被秦国人赶回吴国以后，开始休养生息。阖闾是个有耐心的人，他并没有急着去找越国报仇，而是一方面巩固战争所带来的利益，做好从楚国抢来地盘的维稳工作，一方面发展经济，抓紧时间练兵以弥补战争当中的消耗。就这样，从前505年到前496年，吴国又度过了平稳的十年。此期间，吴国的综合国力又一次突飞猛进。

前496年，越王允常去世了，他的儿子勾践继位。趁着越国国丧期间，阖闾不顾伍子胥“哀兵必胜”的劝告，再次率部队亲征，发动了第一次对越的大规模战争。此次战争，阖闾和灭楚的战争一样，投入三万部队，勾践率越国所有军队奋勇抵抗，双方在吴越边境槜李这个地方相遇，展开了著名的“槜李之战”。槜李的准确位置大概在今天浙江省桐乡到嘉兴之间，据说此地名字的由来和当地的一种特产水果有关，这种水果就叫槜李，其实就是李子的一种。这种李子特别好吃，果肉丰厚，味道甘美，还有一种类似醇酒的香味，所以也叫醉李。果顶微凹的地方有一处类似指甲掐过的痕迹，民间传说，这是被我们后面要提到的“天下第一美女”——西施掐过的痕迹。

战争的过程极富戏剧性，想要了解这场战争的真相，有必要首先了解一下勾践这个人。此时的勾践虽然年纪轻轻，城府却极深。他自幼心机很重，喜欢豢养死士，耍阴谋，结交各方面的人才。勾践豢养的死士过千，这批人在战场上可以作为一支可怕的敢死队。这样看来勾践的性格、喜好倒是和当年公子光很像。关于勾践的这批死士，《墨子》当中记载过这样一个故事：为了试探这些死士的忠勇，勾践故意命人在一艘大船上纵火，对他的死士们谎称船上有他贵重的宝物。为了显示鼓舞死士，他还亲自擂鼓为死士们助威。这些死士们早就被勾践彻底洗脑，纷纷涌上大船，为勾践寻找遗落在船上的“宝物”。一直等到被火烧死100多人的时候，勾践才满意地敲锣示意这些人回来。如果这件事是真的，完全可以反映出勾践这个人的性格，他心狠手辣，又工于心计。

槜李之战拉开了帷幕，双方排兵布阵，这一比量，双方的优劣很明显地体现了出来。吴国的军队什么样？那是一支训练有素、身经百战的铁师，那是曾经多次战败楚军、攻破郢都、士气高昂的部队。此时，将军孙武已经过世，但他的《孙子兵法》却传了下来，阖闾按照这“天下第一兵书”所记载的方式练兵、打仗，再加上吴国将士们的勇猛无畏，怎么可能不获胜？

再看越国的军队，和吴国的军队一比简直就像出来闹着玩儿的。虽然经过允常的努力，越国的军事实力已经大有提升，可跟人家吴国的军队根本就不是一个档次上的。这个差距就好像今天的美国海豹突击队和非洲某土著部落的民兵自卫队一样，简直不可同日而语。

阖闾看到这样的情况，顿时产生了轻敌怠慢的心理，不光是阖闾，吴军所有将士们也压根就没把越国的这点破玩意儿放在眼里。吴国军队列好方阵，原地不动，想要等着越国的军队自己投降。可越王勾践却不是这么想，虽然论整体实力，自己无法与吴国军队一战，但他的手里并不是完全没有筹码的，最起码他还有一支以死为荣的敢死队。如此看来，只要吴国不率先发起全面冲锋，自己不见得就没有胜算。打仗很多时候靠的是心理，所谓“士气”其实就是整个部队对战争结果的心里预测。如果一支部队对战争的结果有着必胜的信心，当然会士气高昂，反之，如果对战争的结果没有信心，则必然士气低落。越王勾践的心理素质强大，顶住了对面吴国三军威严士气的压力，所以，最终会鹿死谁手还说不定呢。

战争打响了，勾践首先发起攻击。不过，这不是一轮普通的攻击，勾践派死士千人，拿着短兵器向吴军发起了冲锋。这种冲锋的方式说来也怪。因为短兵器是防身用的，并不是战场上的兵器。一般战场上的步兵都是用长刀长枪长戟，而没见过这种拿着短剑发起冲锋的。此时的吴军还很淡定，等待着敌人的接近。等到越军进入吴军部队的射程，吴军士兵纷纷举起手中的弓箭，向着越国冲过来的死士们乱射。越国的死士纷纷倒地，但剩余的人，却冲进了吴军的阵营。他们抱着必死的决心而来，自然杀红了双眼，比吴军士兵更加勇猛，往往是临死也要抓个垫背的，与吴军士兵同归于尽。虽然吴军很快剿杀了这些人，但这一下阖闾有点郁闷了，盘算着如果越国军队都是这样的话，虽然人数少于自己，但也够吴军喝一壶了。想到这，阖闾并没有主动发起冲锋，而是继续等待着越国的行动。

越王勾践并没有慌，他看到虽然这批死士的冲锋没有对吴国的实力构成威胁，但却严重震慑了吴军的心理，不怕死，这是两军对决之时最好的武器。紧接着，勾践听从大夫范蠡的计策，派出了一个三百人的小团队。这三百人都是犯了重罪的死囚犯，他们早已经是半个死人了，这时，勾践赋予了他们死前最光荣的职责——为了国家死在敌军阵前。这三百个囚犯每人携带一柄短刀，缓缓地向吴军走了过去。吴军眼看着对面走过来的这三百人有点懵了，他们实在想不明白这些人来干吗，也没见过有这么打仗的。

三百死囚拖着沉重而缓慢的步伐来到了吴军的阵前，在吴军射程之外站定。他们纷纷拿出短刀，抵在自己的脖颈之上，向吴军的阵营大喊："咱们两国交战，我们都是违反了大王军令的人，罪该万死，不敢逃避刑罚，我们愿意死在这里！"喊完话，这三百人一起抹了脖子。

打仗嘛，哪有没见过死人的。可三百个人一起拿刀抹脖子，这在两军阵前还真是头一回见。三百个人集体自杀，顿时血流成河，天地间弥漫着煞气。所有的吴国将士顿时呆在了原地，被这帮不要命的蛮子给吓傻了。蛮子就是蛮子，虽然自己也是蛮子，但和这帮蛮子比起来还真是小巫见大巫了。勾践趁着两次匪夷所思的攻击给吴军带来的震慑之力，命令越国先锋大将灵姑浮率领四千士兵发起冲锋。这一下，吴军的战阵被冲垮了，很多人都丧失了士气，掉头就跑，也有些人是被自己人所冲倒。灵姑浮见破了敌人的战阵，直奔中军阖闾的位置杀了过来，举起戈砍掉了阖闾的脚趾头。阖闾赶紧逃跑，据说在逃跑的过程中被专诸的儿子专毅所救，而专毅也和其父亲一样，为阖闾献身而死。

但是专毅的死并没有像他的父亲一样换来阖闾的安全，阖闾还是在逃出槜李战场七里的地方死掉了。一代明君阖闾，一生征战沙场无数次，几乎是攻无不克，战无不胜，最终却落下这么个结果。可能这也是因果循环，阖闾一生打过数次漂亮的大仗，都是以少胜多，而最终却被实力远远不如自己的越军所打败。虽然没有直接在战场上被斩杀，但也是命丧越军将领灵姑浮之手。

三、夫椒之战：杀父之仇的“回礼”

公元前496年，阖闾去世，临危之时，将王位传给夫差，并告诫夫差：“你千万不要忘记找勾践报你的杀父之仇！”

公元前495年，吴王夫差继位。夫差是个大孝子，他上任第一件事就是为父亲阖闾修了一座工程浩大的坟墓。据说，夫差首先命人在海涌山上取土堆丘，又在丘上修建两个长宽各六十步的剑池。池内引来泉水，终年不干，清澈见底，池深有一丈五尺。夫差将阖闾的尸体放入三层铜棺，埋在这剑池之下，将与父亲命运相关的鱼肠宝剑以及另外铸造的三千口宝剑为父亲陪葬。从古至今不断有人在探索，试图找到这传说中的阖闾墓葬，可从秦始皇到西楚霸王，再到东吴孙权、晋代大司徒王旬、宋代大名士朱长文、明代宰相王鳌等，都没有收获。1949年后，考古队也组织过对此处阖闾墓的开掘，为此还特意运用现代化的手段抽干剑池内的水。可就当阖闾墓初露端倪的时候，考古队被告知如果深入挖掘可能导致剑池旁虎丘塔的坍塌，甚至整个虎丘景区都会毁于一旦，这不得不使考古队放弃了继续探索的想法。所以，阖闾的墓葬至今对于世人来说仍然是个不解之谜。今天的苏州虎丘剑池还是一处著名的景点，供游人们参观、想象。

埋葬好父亲的尸首，夫差开始想着为父报仇了。据说夫差为了时刻提醒自己为父报仇，让他寝宫的侍卫们每次见到他都要喊：“夫差，尔忘越王之杀尔父乎？”而每次夫差听到这样的询问，都要回答：“唯！不敢忘！”

夫差这样的做法表面看起来是复仇之决心很强烈，然而仔细想想，如此做法其实是暴露了他内心的软弱。如果他真如伍子胥那样的烈丈夫一般，便不会做这些噱头，而是应该深深地把仇恨埋藏心底，或者是立刻厉兵秣马，找勾践血拼。往往是弱者，才会装扮自己，从形式上作秀，来为自己鼓劲。摆个样子，借此来提升自己的胆量。所以说，有时候看上去是那么回事，但仔细想想，实际怎么样又不好说。从夫差后来的表现来看，他也完全不像是把血海深仇牢记于心，反而是经常表现出一副优柔寡断、妇人之仁的样子。从这一点来说，夫差的性格有点像比他晚出生了二百多年的西楚霸王项羽，但胆魄武力又不如项羽。这样的一个人，吴国最终要亡在他的手里是不可避免的。

当然，这些是后话，我们还要沿着吴越之间的故事往下说。此时吴国除了吴王夫差以外，还有一个人对于阖闾的死很难过，这个人就是当年一手扶植阖闾上台的吴国第一重臣伍子胥。在伍子胥的眼里，此时的夫差还是个小孩子，或者说，夫差一直都是个小孩子。他的思想不够成熟，他的手段没有他父亲阖闾那么硬朗，他的内心也不如阖闾那样强大。当时阖闾不听自己的劝告，擅自出兵，伍子胥追悔莫及，好像自己也犯了很大的错误。伍子胥对于当时越国形势的分析还是很正确的，所谓“哀兵必胜”，吴国以大欺小，趁着人家国难的时候动手，越国必然举国相抗。在这种情况下，越国将士们所能爆发出来的能量是难以预计的。而此时的情况也一样，吴国还是不能够对越国发兵，因为越国仍然是“哀兵”，虽然此时的吴国也是“哀兵”，但以自己这块“玉”去碰越国那样一块“瓦”，很显然是不合适的。

伍子胥把复仇的重任挑到了自己的肩上，他亲自练兵于太湖之上，扩大军队规模，同时恢复在槜李之战中受到重创的部队。短短一年多的时间，吴国的军队就重整士气，人数也增加至十万之众，随时等待机会与越国决战，一雪前耻。

而在这期间，吴国内部还发生了变化。阖闾去世以后，吴国留下了两位前朝元老，一位是组织练兵，以复仇为己任的伍子胥，另外一位，便是太宰伯嚭了。伯嚭的性格和伍子胥完全不同，对待夫差的态度也不同。伍子胥是位烈丈夫，把夫差当成一个小孩子，经常以长辈的身份提醒夫差不要忘记为父报仇什么的。而伯嚭却不然，他来吴国比较晚，是受到伍子胥的举荐才入吴为官的，地位自然不如伍子胥。对待夫差，伯嚭也自然是毕恭毕敬，还少不了阿谀奉承，溜须拍马。另外，伍子胥的才能更多体现在军事上，在阖闾时期，以开疆拓土，或者说灭楚为治国第一方针的前提下，伍子胥发挥的作用自然最大。而伯嚭则更像个文臣，除了大战之时有必要带兵上阵，更多的时候还是管理内政。这样，在伍子胥外出练兵的这一年多的时间，他亲近夫差的机会就多了。这些原因令夫差很喜欢亲近伯嚭，而渐渐对伍子胥有疏远、甚至是惧怕之意。

在这一年多的时间里，越王勾践自然也没有闲着。勾践是个聪明人，甚至聪明得有点过分，当他以少胜多击败了吴军，甚至杀死了阖闾的时候，他就知道要坏了。原因很简单，越国之所以能够战胜完全是凭借着出其不意的战术，以及死士们给越国军队带来的强大士气。可论综合国力，或者单说军事力量，越国是远远赶不上吴国的。当有一天吴国前来寻仇，越国又如何抵抗呢？所以，勾践用这两年多的时间做了一件大事，他训练出了一支三万人的正规军，没错，是正规军，不是当年的“敢死队”。

勾践想得没错，该来的总会来的，夫差二年，也就是公元前494年春，吴王夫差倾全国兵力征讨越国，为父报仇，依然任命伍子胥、伯嚭二位元老为将军，从太湖取水路攻打越国。越王勾践并没有听取大夫范蠡、文种等人采取守势的建议，反而亲自率领刚刚练好的三万军队赴前线抵抗。越国的军队从会稽山下的固陵军港出发，入太湖，在夫椒山与前来的吴军决战。夫椒山是太湖之中的一个岛屿，根据历史学家的考证，应该就是今天的太湖洞庭西山，也就是名茶“洞庭碧螺春”的原产地。很难想象，出产“入山无处不飞翠，碧螺春香百里醉”这样名茶的地方居然是春秋时期一场大战的战场，这场夫椒之战还是中国历史上有文字记载的第一次大规模水军战役。

这场战争的详细过程在《左传》、《国语》等春秋时期的史书中并没有记载，但在《越绝书》这本春秋时期的地方志当中可见端倪。根据《越绝书》当中的描述，越王勾践在此次战役中并没有任用范蠡、文种等人，而是任用宠臣石买为将军。石买这个人并不见于其他的史书，只在《越绝书》当中有所提及，他是一个性情残暴、滥杀无辜，又少谋乏智的人。而吴国方面虽然夫差亲征，可实际上在战场中真正起决定性作用的人还是伍子胥。伍子胥根据天气、风向的变化，调动吴国水军大船，又在巨大的军队数量的优势下，轻松地在太湖之上大败越军。

越军撤退，剩余部队在钱塘江边重新集结，准备抵抗吴军。石买在这次抵御的过程中犯了极大的错误，他杀掉数位与他意见相左的将士，彻底失去了在军中的威望。而吴军领袖伍子胥再一次表现出了他的高度智慧，神勇地指挥，他深知“穷寇莫追”的道理，并没有与越军正面对决，而是像当年骚扰楚国人那样，在战场上不断派出小股军队从不同方向骚扰越军的阵营，搞得越国军队人心惶惶，日夜不宁。就这样，吴国彻底瓦解了越国的守势，越王勾践率领剩下的五千残兵败将逃进了会稽山。

山下，吴军十万，士气高昂，吴王夫差随时准备杀勾践为父报仇。山上，五千残兵，低迷颓废，越王勾践随时准备刎脖颈一死了之。还好，勾践的身边还有高人，往往到了这种节骨眼上，才能体现出谁是真正的忠诚，谁具有真正的智慧。在范蠡、文种二位大夫的死劝下，勾践打消了“宁为玉碎，不为瓦全”的冲动想法，而是与众人一起，开始筹划如何“留得青山在，不怕没柴烧”。当然，在采取行动之前，勾践先杀了一个人，这个人当然就是指挥不当，导致越军大败的石买。实际上，这也是勾践在给自己找台阶下，当初不顾范蠡、文种的阻挠，硬要与吴军正面冲突，以卵击石，这样错误的决定虽然是勾践自己所做，但君王还是要给自己找个面子的。如今又要靠范蠡、文种的智谋保存性命，勾践当然要低个头，认个错，这认错的最佳方式就是杀了石买，这石买也确实是死有余辜。

众人经过一番讨论决定，由大夫文种亲自作为使臣，带着金银财宝向吴王夫差投降求和。文种晋见夫差，将宝物奉上，低三下四地说了一大通求和的好话，并且提出一个重要想法，为了乞求吴国的原谅，越王勾践将亲自入吴为奴，侍奉夫差，越国也彻底成为吴国的附属国，尊吴国为主，一切国土、赋税任由吴国支配。这一举动大出夫差所料，他发动这场大战的目的在于为父报仇，他原本的想法就是杀掉仇人，可如今越国人主动提出来的条件仿佛比杀了勾践更痛快，将原来的一国之主变为自己的奴仆，这好像更加大快人心。正当夫差犹豫的时候，伍子胥冲了出来，蛮横地拒绝了越国人投降的要求。

伍子胥的想法要比夫差成熟得多，这场战争的目的在于报仇不假，可更重要的是，战争的结果要对吴国未来的发展产生最佳的影响才是真正的胜利。吴国今天虽然已经十分强大，可想要入主中原并不是那么容易。吴国地处水乡，即便是通过军事能力侵入中原，如何治理也是一大麻烦事。另外，在中原各国的眼里，吴国无论如何强大，始终是蛮夷之国，当蛮夷想要侵占文明的时候，很难保证中原各国是否会联合起来对抗吴国，这也是当年楚国不论如何强大也始终无法入主中原的原因。所以现在的吴国想要发展，最好的选择就是先吞并掉同为蛮夷的越国，这样既不会惹来中原各国的仇视，又可以得到最好、最快的发展，最方便的治理。越国的国土面积庞大，地理形态和吴国接近，如果能够一举吞并，吴国将迎来空前的强大。

出于这些原因，伍子胥代替夫差一口回绝了文种的请求，并告诉文种赶紧回去告诉勾践，他自己带领残兵主动下山束手就擒，可能还给他留个全尸，要等吴军放火烧山的时候抓到他会以残暴手段将他虐待致死。文种回来见勾践，把伍子胥的话带了回来，勾践傻眼了，看来最终自己的结果还是必死无疑。勾践万念俱灰，抽出宝剑想要自刎，可就在此时，文种再一次拦住了勾践，他提出了自己的下一步计划。虽然伍子胥代替夫差回绝了自己的请求，可他能看得出，夫差的内心深处还是犹豫了一下，既然夫差本人犹豫了，就说明这件事情还有希望。那么，只要想办法绕开这位伍子胥大人，事情就有转还的可能。

在他面见夫差的过程中，他还见到了另外一个人，就是吴国的二号人物，也是这次战争的主要将领之一——太宰伯嚭。伯嚭显然没有像伍子胥那样激动，相反，他的内心是关切夫差想法的，而夫差对待伍子胥与伯嚭的态度也完全不同，当伍子胥冲出来反对的时候，夫差显然很不满意，而且，仿佛还瞄了伯嚭一眼。结合吴国这些年来的内部情况，绝顶聪明的文种自然把这一切结合到一起，捋出了一个头绪。吴王阖闾在位时期，伍子胥自然是坐第一把交椅，阖闾对伍子胥也是绝对的信任。可夫差上位，情况就发生了变化，他更亲近性格平和的伯嚭，而随着自己在位的时间越长，对伍子胥的看法也就越多。如此看来，伯嚭是此次投降能否成功的关键人物。文种还要再去吴军阵营，这一次，他不再直接面见夫差，而是找太宰伯嚭。为了增加成功的可能性，勾践将自己的大量财宝、美人都交给了文种，让他带去贿赂伯嚭。

文种想的没错，当他带着宝物、美女来找伯嚭的时候，伯嚭摆出了好像早就等着他的到来的架势。二人一拍即合，伯嚭在得到大量好处的同时，决定利用这一次机会正式展开与伍子胥的争权之战。于是，伯嚭带着文种面见夫差，向夫差从另外一个角度陈述了接受投降的好处：第一，吴王您的大仇得报。第二，吴军可以兵不血刃赢得这场战争的胜利，否则，虽然越军只有五千人，但若真的发起狠来做困兽斗，也要伤及吴军的精锐部队。第三，越国投降的条件几乎和亡国一样，土地、税收全部听从吴国处置，越王勾践携妻子、大臣入吴为奴。吴王夫差听后，正合自己的心意，于是决定接受越国的投降！

四、卧薪尝胆：越王勾践的秘密计划

丧权辱国的日子并不好过，此时的勾践脑袋耷拉到了地上，准备去吴国当奴隶。夫差还算讲究，越国原来的千里国土给他留下了百里，还给了勾践三个月的宽限期，让他回去处理好越国内部的事情，做好善后工作。越王勾践与范蠡、文种等人一通商讨之后，决定携自己的结发妻子和大夫范蠡，一起入吴为奴，留下大夫文种在越国治理政事，当然最主要的工作是定期向吴国纳贡。

入吴以后的勾践，完全变了一个人。经历了战争的洗礼，生死的徘徊，勾践已经从一个稚嫩的青年变得饱经沧桑，他把仇恨深深地埋藏在了心底，而表面上，他就是一个卑躬屈膝的奴才，有时候甚至把自己当成一条狗。据说勾践在吴国主要的工作是喂马、给马洗澡和收拾马粪。他的妻子和大夫范蠡也和他一样，从事着最低级的、奴隶般的工作。他们吃喝就在马棚边上的一个小窝棚里，据说是三人同住一间房。他们不配再穿贵族们的高档服饰，只能穿粗麻布衣，而且粗麻布衣也不是无限提供，很多时候，穿破了，要自己缝缝补补。

就这样，卑微的勾践，在吴国一混就是三年。三年的时间，磨砺了他的性情，磨平了他性格当中的棱角，同时通过这三年的时间，他也对夫差有了深刻的认识，夫差这个人，喜欢“面子”多于“里子”，喜欢别人对他阿谀奉承，溜须拍马；夫差有才华，但是比较自大，他临危受命，从父亲那里接手了一个强盛的吴国，在伍子胥等人的辅佐下，他的国家越来越强大；夫差还富有同情心，容易感情用事，有时候还有点儿妇人之仁，他最初对待勾践吆五喝六，不可一世，可慢慢地他对勾践又生了同情之心，毕竟勾践也曾经是一国之主，只是因为一场战争，就输得一败涂地。了解了这些，勾践想到了一种可能性，就是自己不见得会被一辈子囚禁在吴国，说不定哪一天，夫差一高兴，会放勾践回国，那时候，勾践就可以回到自己的故土，与范蠡、文种重建越国。

勾践在吴国的这段日子里，吴国的内部也在默默地发生着变化。吴王夫差越来越不可一世，他从勾践的身上得到了无限的满足感，但强烈满足感的背后，却又升起了一丝同情。变化最大的是吴国的两大重臣伍子胥和伯嚭。伍子胥很郁闷，为什么？最初他就不答应接受勾践投降，对于越国这样一个国家，勾践这样一个越王，就应该杀了一了百了。如今的局面本就令他很无奈，当他看到勾践的表现的时候，就更加无奈，虽然勾践将自己伪装成一个彻头彻尾的奴才，可他身上所散发出来的气场明显能够让伍子胥感到危险。所以勾践伪装得越好，伍子胥就越郁闷，他已经升起了无端的担忧，担心吴国的江山有一天会被这个养马的奴才夺走。相反，伯嚭很开心，和伍子胥不同，伯嚭是个小人，他的价值在于迎合一把手的口味。当初伯嚭就是看透了夫差的内心想法，才接受文种的贿赂，保存了勾践的性命，如今勾践的表现很好，好到让夫差都动了恻隐之心。所以有时候，勾践的表现成为了伯嚭满足夫差口味的一盘菜，伯嚭可以通过评价勾践的行为对夫差拍足马屁，将夫差衬托成一位天神一般闪着金光的英雄。

就这样，三年以后的某一天，夫差萌生了一个想法——放勾践回去，这样更能凸显自己的伟大，伟大到有一天会像齐桓公、晋文公那样成为霸主，成为各诸侯国公认的，可以为他们“摆事儿”的“江湖大哥”。伯嚭当然赞同夫差的做法，一来这些年，文种从没忘记伯嚭的大恩，逢年过节，大量的“好处”便主动送到伯嚭家里，伯嚭也应该动动举手之劳，给人家一个交代；二来，这是迎合夫差口味的，是能够将夫差的形象衬托得更加高大的。伍子胥自然是反对的，他早就从勾践身上嗅到了危险的味道，当然会大加阻拦，甚至是拼命阻拦。勾践得知了夫差的这一想法当然是无比的激动，想想自己心底里被锁住的东西，勾践有些迫不及待。

可是夫差没能做出决定，因为他病倒了。夫差得了一种很奇怪的病，没有大夫能够诊断他生的是什么病，自然也就没有一个可以实施的治疗方案，这导致夫差在床上趴了三个月病情都不见好转。可是有一个人却瞧出了他得的是什么病，不但瞧出他得的是什么病，还看出了他什么时候会好起来。但这个人绝不会告诉夫差，因为这个人是随勾践一起入吴的越国大夫范蠡。范蠡是个高人，他的很多思想被后人认为应该把他归于道家。范蠡这个人不但能治国，会做生意，还能看病，而且医术高超。范蠡看明白夫差的病不用治疗，只需静养就会自己痊愈，但他没有把这个消息告诉夫差，而是告诉了勾践。勾践得知这一情况以后，想出了一个促使夫差释放自己的方法，这个方法可以称之为杀手锏。

勾践的杀手锏很恶心，他来到夫差的身边，抓起夫差的粪便尝了尝。他告诉夫差，自己有个绝活，可以通过粪便的味道判断一个人得的是什么疾病。先别说诊断结果如何，光凭着这一“吃粑粑”的举动，勾践就让夫差感动得热泪盈眶。照理说，自己是勾践的仇人，可勾践并没有往心里去，反而对夫差是真心实意的好，好到为自己尝粪便。就凭这一招，夫差下了决心，放勾践回归越国。

勾践尝粪之后，告诉夫差他的病没有什么大碍，继续静养就会在什么时候好起来，结果果然应验。公元前490年，勾践凭借着自己令所有世人瞠目结舌的行为终于从吴国逃出，吴王夫差亲自为勾践送行。勾践与夫人坐在马车里，由大夫范蠡亲自驾车，打马扬鞭赶回了越国的都城。一切看起来都那么祥和，夫差在感动中与勾践惜别，伯嚭微笑地看着夫差、勾践、范蠡，勾践满含着感激之情，范蠡的嘴角上扬，自己此次陪同勾践入吴之行功德圆满。唯独伍子胥的心情与这一场面格格不入，他的眼中充满了血丝，心中燃烧着愤怒的火焰……

勾践终于回到了自己的一方故土。当确定自己的处境已经安全以后，勾践做的第一件事就是拿出钥匙，打开了尘封在自己心底里的那把锁。堂堂一国之主，被人抓去做了奴隶，三年养牛喂马的生活，为了恢复自由，甘愿为人尝粪的耻辱，这一切的一切，勾践要让自己记住，并且终有一日要让夫差加倍偿还。

勾践不像夫差那样假惺惺，他没有让任何人提醒自己报仇雪耻，而是默默地在做。为了不被全新的幸福生活麻痹了自己的意志，他亲自投入劳动生产。他从不穿锦衣玉袍，只穿自己妻子纺成的粗麻布衣，他从不吃山珍海味，只吃自己耕种所得的粮食，他不睡舒服的大床，而还是像在吴国当奴隶时那样睡在柴草垛上，他还在自己房间的房梁上悬挂一个动物的苦胆，每天起床第一件事情就是尝一尝这苦胆的味道，以提醒自己曾经尝粪的屈辱。勾践如此的自虐生活后来还衍生出了一个励志的成语——卧薪尝胆。做这些也就罢了，毕竟还有很多实际意义，可勾践还想出了一些纯粹为了折腾自己的招数。根据《吴越春秋》的记载，他不让自己睡太多觉，很晚了还要读书，当眼睛开始打架的时候，他就用一种辛辣的草药碾成的汁液涂抹眼睛，强让自己打起精神；他冬天要抱着冰块跑步，夏天要摆上火炉睡觉；感觉冷了，就用更冷的冰水去泡脚。总之，勾践想尽了各种各样的方法刺激自己那充满仇恨的内心。

勾践一边提醒着自己不要忘记报仇，一边还要假装着继续讨好吴王夫差。为什么还要讨好夫差？第一，勾践要为恢复自己的实力争取时间，此时的越国太虚弱了，如果夫差发现自己时刻为复仇准备着必定会在第一时间灭掉越国。第二，不要忘了此时的越国并不是原来的越国，越国战败后夫差只给越国留下了原来十分之一大小的国土，位于今天绍兴县西北巴掌大小的一块地方，规模就相当于今天的一个镇，估计总人口都不会超过万人。而其他的地方吴国也并没有去治理，勾践入吴这三年的时间里，这些地方几乎变成了无人区。因为没有政府治理，这些地方已经混乱不堪。勾践要麻痹夫差，讨好夫差，争取恢复自己的地盘，既然夫差并没有霸占自己原来的土地，那就说明自己还是有希望恢复的，有了地盘，才有恢复力量的本钱。

其实夫差也在时刻监视着勾践回国以后的行为。此时的越国只是吴国的一个附属国，严格来说并没有自己的主权，他时刻可以得到消息，知道勾践在做些什么。然而粗线条、江湖气的夫差并没有从勾践一系列的行为举止中感觉到危险的信息，反而觉得勾践奋发图强是一件好事，这就难怪他最终被勾践灭掉了。夫差很可爱，可爱到天真，为了面子可以不要里子，为了哥们儿义气可以不要自己的江山。只是这样一个可爱的人，作为一国之主就真的不太合适。

勾践希望能够跟夫差要回自己的土地，可当然不能明着要，只能等着夫差“赏”给自己才行，怎么能让夫差赏给自己呢？当然需要夫差对自己更进一步的信任。勾践知道夫差喜欢充脸面的东西，此时的越国虽然综合实力差得要命，但勾践相信只要用心去找，一定会找到能够讨好夫差的“奢侈品”。勾践听说葛山出产一种葛藤，由这种材料纺成布织成的衣服穿起来宽松透气，极其舒服，勾践立马就派女工去纺织葛布。勾践还听说有座鹿池山，山上有白鹿出没，便派出猎人专门去捕捉饲养，好送给夫差当宠物。勾践又听说有座六山，出产一种竹子，这竹子可以拿来制作成上好的马鞭，就赶紧派人去制作，好送给夫差，让他游猎的时候用。

勾践的讨好手段可谓无所不用其极，一系列的糖衣炮弹打得夫差有点找不着北，对于勾践这位兄弟的情谊，夫差深受感动。此时的夫差也越来越不可一世，对伍子胥这块“老化石”也越来越疏远，他并不与伍子胥商量，就决定将原来越国的土地还给勾践，不仅如此，还增加了越王勾践的封地，并且送给勾践用羽毛装饰的旌旗、诸侯的服饰等，勾践的地盘终于恢复到战前八成左右的样子。夫差从此彻底对勾践放松了警惕，不再理会勾践在越国的所作所为，真正把勾践当成了兄弟，他甚至希望勾践的越国能够快速发展起来，或许他还一度有过与越国一起称霸中原的错觉。

当伍子胥得知这一消息后，几乎气炸了肺，这位烈丈夫眼睁睁地看着夫差胡作非为，自己给自己挖坑也只能干瞪眼，因为此时他的地位已经今非昔比，尽管官位还在，但在夫差的心中，另一位前朝重臣伯嚭的地位已经远远超过了伍子胥。可伍子胥对吴国是真上心，这个国家的发展、强大是他自己一手促成的，他对吴国的感情甚至比吴王夫差都要深厚。在这种万般无奈的形势下，伍子胥还想要搏一下，为自己争取一下，他写信给夫差，说自己有病，无法上朝，需要在家里静养。没想到夫差还真就同意了，这一下更是伤透了伍子胥大人的心。

勾践通过自己的一系列努力，终于为自己铺好了路，越国拥有了土地，勾践便拥有了复仇的本钱。但是经过了这么大的一番磨难，此时的勾践很有耐心，他的下一次复仇一定要有百分之一百的把握才可能动手。为了争取这百分之一百的把握，勾践给自己制定了一个二十年的复仇计划，勾践要在这二十年中带领越国慢慢走向强大，最终给吴国致命一击。

五、一个好汉三个帮：越国的三位大夫

夫差六年（前490年），越王勾践回到了越国。从此，春秋的历史将会被改写，越国在勾践的带领下逐步走向强大，十几年后，还会吞灭不可一世的吴国，成为春秋末期最为强大的国家之一。短短十几年的时间，越国就像是吃了膨化剂，很快强大起来，而这一系列的变化当然不能只出自勾践一人之手，越国还有很多能人，甚至也有像吴国的伍子胥、孙武那样跨时代的著名历史人物。这些人当中有两位我们前面已经提过，分别是范蠡和文种，另外还有一位与这二位拥有同样的重量，叫做计然。这三个人都不是土生土长的越国人，却都为越国的成长立下了汗马功劳，他们的事迹有些见于史书，有些见于小说传记，有些则只在

民间流传。

司马迁的《史记》当中有两处对范蠡进行描写，一是在《越王勾践世家》中提到了范蠡如何帮助勾践报仇，二是在《货殖列传》当中提到范蠡功成身退以后，化名陶朱公、鸱夷子皮运用治国韬略成为一代大商人的故事。但《史记》中对他的身世却语焉不详。直到东汉时期袁康、吴平辑录《越绝书》，范蠡的身世才大白于世间。

根据《越绝书》的记载，范蠡本是楚国人，生于宛县，也就是今天的河南省南阳市。他少年的时候常常一会儿痴呆，一会儿清醒，当时，所有人都把他看做是狂人。随着范蠡年龄的增长，他的表现更加不同于常人。他对很多问题都有着独到的见解，而不像世俗之人看得那样表面，往往他说出来的看法更像是圣人的言语，这令他和其他人格格不入。范蠡一开始内心很苦闷，他不明白为什么大家的看法都那么粗俗、幼稚，而自己的看法明明高于众人，却得不到大家的支持。可后来范蠡渐渐想明白了，像他这样的人，天生下来想法就和别人不一样，比别人站得更高，看得更远，而且随着自己的成熟，这之间的差距还越来越大，自己永远不能苟同其他人狭隘的目光，可别人永远也理解不了自己的境界。就这样，范蠡渐渐变得封闭，不与人交流，对别人的批评也当做听不见，不接受也不改变，继续我行我素，时间久了，就表现出来疯疯癫癫的样子。

文种也是楚国人，而且还算是楚国的贵族，是个大夫。文种也是一个贤明的人，他曾经来到宛县当地方官，他感受到这样的地方必然会有圣贤之人，于是就派手下四处去寻找，可是一直没有结果。文种可能年幼的时候和范蠡有着相似的经历，他知道真正贤明的人不一定都出自那些容易寻找的大家族，很有可能诞生在那些落魄的名门之后。另外，贤明的人在得志之前很有可能给人一种疯子的感觉，让人误会他疯疯癫癫，举止怪异。于是，文种扩大了搜索范围，开始在那些被老百姓们认为是怪胎的人群当中寻找贤明之人。

这一次，文种找到了范蠡。文种带着人去拜访范蠡，范蠡知道文种是“同道中人”，也一改往日的旧态，将自己打扮得仪表堂堂，谈吐儒雅，不失礼节。这二人一见如故，聊起了平日与乡亲们聊不明白的那些大事情、大看法。当范蠡谈到对当今形势的看法时，文种瞪大了眼睛。范蠡对天下大势逐一分析，齐桓公的年代已经一去不复返，齐国不会再有称霸的可能；晋国的内战也已经把晋国拖垮，晋国的辉煌也已经过去；楚国虽然看似强大，可实际上楚国的问题比其他国家都要严重，这个国家想要称霸也不太可能；纵观天下大势，反而地处东南的吴越两国，经济发展良好，不受中原战乱的骚扰，君王大臣们心思单纯，也没有内乱的困扰，只要掌握先进的思想，不出几十年的工夫，就可能称霸天下。况且这些地方原本荒蛮，没有什么人才引进，那些中原贵族即便再不得志也不可能来这样的地方“开荒”，如果自己去辅佐这样的国家，那就是开国之臣，可以建立一代不朽功业。

范蠡的这一说法打动了文种，或者说，是与文种不谋而合。文种当时在楚国虽然比范蠡混得强，可他也觉得以自己的能力，再这样在楚国混下去也很难出人头地，毕竟自己的这个贵族身份没有那么显赫，很难在众人当中凸显出自己。二人当即决定出山，找一个合适的国家和赏识他们的君主前去辅佐，建立一代功业。

打定了主意，文种辞掉了自己县令的工作，二人先是来到了较为发达的吴国。可还没等摸进宫殿，二人已经知道，同为楚国贵族的伍子胥已经先他二人一步来到了吴国。二人知道他们很难与伍子胥共谋大事，就悄悄地离开了吴国，来到了越国。越王勾践十分欣赏他们二人，便重用了他们。初到越国，二人还与越国的地产贵族产生了尖锐的矛盾，我们前面提到的在夫椒之战中军队的总指挥石买大人，便是越国的旧贵族。当时这二位的地位应该还赶不上越国的旧贵族们，可是夫椒战败，文种凭一己之力将越国从被吞并的危险中挽救回来，再加上范蠡与勾践一起入吴为奴，这使勾践归国后，二人的地位不再可以被撼动。

可以说，范蠡、文种在越国相当于吴国的申公巫臣加上伍子胥，没有这二位，越国可能在夫椒之战中就被吴国吞并了。另外，范蠡、文种虽然不像当年申公巫臣那样通过外交身份援助吴国，光明正大地向吴国输入先进的军事思想和军事打法，但他们二位都来自当时比越国发达一万倍的楚国，自然能给越王勾践带来那些旧贵族想破了头也想不到的新信息。

《国语》中记载，公元前490年，越王勾践归国后，曾经对范蠡说过这样的话："不谷之国家，蠡之国家也，蠡其图之。"就是说，我的国家就是你范蠡的国家，你要好好规划它。于是范蠡帮助勾践提出了著名的二十年大发展计划："十年生聚，十年教训。"这两句名言一直到今天，人们还在使用。所谓"十年生聚"其实指的是人口政策。在冷兵器时代，尤其是春秋那样生产力比较落后的年代，打仗靠得其实就是人和粮食，没有人，没有粮食就无法组织有效的部队，没有部队，那还谈何复仇？所以范蠡为勾践提出的第一条复国之策便是大量繁衍和吸纳人口，这才是强国的根本。《国语》中记载了人口政策的具体内容，概括起来就是年轻男子不可以与年老的女子结婚，年老的男子也不可以和青年女子结婚；女子十七岁不嫁，男子二十岁不娶，他们的父母都要受到刑罚；生下男孩奖励两壶酒，一条狗，生下女孩奖励两壶酒，一头猪；家里有临产的妇女要报告政府，政府派医护人员守护；生下三胞胎国家给配一名奶妈，生下双胞胎国家给发孩子的口粮。总结起来其实就是：强行早婚，奖励早育、多生。另外对于外来人口也有相当优遇的政策，规定对于前来投奔的四方之士，一定要在庙堂上举行宴享，以示尊重。

"十年生聚"的人口政策为越国的繁荣奠定了基础，十几年后越国出兵八万围困姑苏城，这么庞大的军队数量显然要比勾践刚刚归国时越国的总人口还要多。有了人口，就要搞经济，范蠡在经济方面的思想很接近道家的"无为而治"，他建议勾践免掉农民的赋税，这样农业产量自然就会增加，国家自然就会富裕。这其实就是老子在《道德经》当中提到的“治大国如烹小鲜”的治国理念，烹小鱼不能用大铲子来回搅和，那样就会把鱼弄碎，也不能火太旺，让水过分沸腾，更不能加入太多的作料，使味道过于浓重。治理现在的越国，就要像烹饪小鱼一样，不去折腾百姓，而是“文火慢炖”，让老百姓自己发展。于是，勾践一下子免掉了农民十年的赋税，这样大大提高了农民耕种的积极性，因为每一分收获都可以直接揣进自己的腰包。十年以后，每家每户都积累了三年的口粮。

人口增加了，经济搞好了，接下来的“十年教训”指的就是文明化、军事化了。教训不仅指对老百姓的教育教化，更主要的是组建军队、训练士兵。范蠡的军事思想也很高超，他练兵、打仗讲究审时度势，观天文、察地理，并且深谙阴阳消长之道。他带出的兵不但士气高昂，最厉害的是个个懂得搏击之术，这是因为范蠡为越国的士兵请来了越女、陈音二位教练。越女是中国历史记载中第一位懂得武术的奇女子。根据《吴越春秋·勾践阴谋外传》的记载，越女提出了“剑道”的概念，她以《周易》及《老子》的思想阐述剑道，讲究阴阳开合、攻守交替、静若处子、动若脱兔，从理论到技术，从战术到心理全面论述击剑要领，辩证地看待剑术中的快与慢、攻与防、虚与实、内与外、逆与顺等关系，并且提出若能将剑术练好，则可以“以一当百，以百当万”。而陈音则是当时最厉害的“神射手”，《吴越春秋》中记载了一大段他与越王勾践的对话。他向勾践讲述弹弓、弓箭的起源，弩的作用原理，以及最重要的“正射”箭术之道时说：“左手若附枝，右手若抱儿，举弩望敌，翕心咽烟，与气俱发，得其和平，神定思去，去止分离，右手发机，左手不知，一身异教，岂况雄雌？”勾践的军队被陈音教导了短短的三个月，便人人能通弓弩之巧。有了这二位教练的培养，越国军队的战斗力得到了大幅提升。

另一位和范蠡一起前来侍越的大夫文种，虽然在历史上的名气没有范蠡大，但对越国发展做出的贡献可是一点也不能小视。文种为越王勾践提出了最有名的“伐吴九术”，见于《越绝书》，具体如下：

第一，要重祭祀，尊敬天地、鬼神。第二，要赠送给吴王夫差大量的钱财，以麻痹夫差，让其对越国掉以轻心。第三，向吴国借粮，还粮时用蒸过的大谷，这样吴王看到越国换回来的谷子这么大必然会发给农民耕种，可这样的种子种下去并不会有收获，这样就会导致吴国的内部粮饷空虚。第四，是给夫差送去美女，让夫差整日沉浸在酒色笙歌当中，丧失斗志。这一条是由范蠡完成的，范蠡可以说是超规格完成了任务，他在溪边发现了正在浣纱的中国古代四大美女之一的西施，并把西施送给了吴王夫差。西施很好地完成了越国赋予她的任务，麻痹了吴王夫差的意志，葬送了吴国的前程，并且在民间传说中，她最终与范蠡泛舟于五湖，二人终成眷属。第五，赠送能工巧匠，引诱吴王广修宫室、高台，耗费吴国的财力民力。第六，贿赂吴国的重臣，令他们败坏朝政，腐朽吴国的政治体制。第七，离间吴王的重臣。事实上这一条计策也得逞了，吴国头号重臣伍子胥后来被吴王夫差赐死，这其中必然有着越国人的缘故。第八，充实粮草，积蓄国家财力。第九，铸造武器，训练士兵，伺机伐吴。

由此可见，文种的“伐吴九术”中只有三条提到越国自身应该如何发展，而更多的是如何陷害吴国，让吴国自己犯错误。文种不单是可以以阳谋治国的栋梁之才，还是一个懂得运用手段伎俩陷害对手的阴谋家。这些计策在越国准备伐吴的后期起到了至关重要的作用，夫差完全被越国的招数所迷惑，顺着越国的陷阱一步一步走向了自己的坟墓。

文种的伐吴九术虽然功效卓著，大大地打击了吴国的实力，最终被越国一举灭掉，可也为自己的结局埋下了伏笔。不得不说，这些计策有的太狠毒，比如把谷子蒸熟了还给吴国这一条，这不光是削减吴国国力的问题，它所带来的副作用实在太大了，这会导致多少吴国的老百姓一年到头颗粒无收，严重者还可能面临饿死的危险。勾践在使用的时候也是暗自心惊，而且对文种的为人也重新有所认识，毕竟，如果一个人的内心光明坦荡、正直、富有爱心，对付敌人的时候也不应会想出这样阴险毒辣的手段吧。

从文种的这些计谋当中可以看出，文种是一个为了达到目的可以不择手段的人，这一点，恰恰和勾践本人很像，不要忘了勾践那次槜李之战是如何取胜的，就是依靠着不择手段的战术，他完全没有考虑那些怀着必死之心冲进吴国战阵的死士们生命的价值。所以说，勾践本身就是一个阴谋家，一个阴谋家在利用另外一个阴谋家为自己做事，当功成业就、目的达到的时候，他是无论如何不会允许这个人还在自己身边的。于是，越国灭吴之日也就是文种的生命终结之时。当勾践率领着大军逼死了吴王夫差，凯旋以后，很快就赐给文种一柄剑和一封信，信中说道："你给出的九条计策只用了四条就灭掉了吴，其余的五条您应该去献给故去的先王。"于是，文种含恨自刎。虽然这赐死过程中的细节是小说《东周列国志》的桥段，但这样猜测性的描述却很符合历史事实当中勾践的性格。

越国的第三位功高至伟的人物计然则显得有些神秘。计然是司马迁《史记·货殖列传》里面所用的名字，在《吴越春秋》和《越绝书》当中都称其为计倪。另外还有一本专门记载计然与范蠡的书，叫做《范子计然》，相传为范蠡所著，可惜该书的原本没有流传下来，只能从其他的一些书籍所引用的文字中略窥其内容。根据残本《范子计然》的记载，计然姓辛，名文子，是晋国的流亡公子，因为他善观自然、通阴阳，对别人的想法或者事情的发展方向总是能未卜先知，所以才得了一个号叫做"计然"。

计然并没有长期供职于越国，他和吴国的将军孙武有点像，应该属于越国的客卿。计然喜欢泛舟于江河湖海，有一次南下到了越国境内的时候碰到了范蠡，并且收了范蠡当徒弟。后来在范蠡的举荐下为越王勾践出谋划策，帮助越国强大。计然最有名的便是他的富国"七策"，从经济学的角度论证了越国强大的方式，范蠡只用了其中的五条就将越国治理得兵强民富，而剩下的两条帮助他从越国退隐以后，摇身一变成为当时闻名世界、富可敌国的大商人。因为范蠡只用了五条，所以见于历史记载的也就只有五条，这五条理论即便在今天，也仍然是很好的政策：

论其有余不足则知贵贱；贵上极则反贱，贱下极则反贵；贱买贵卖，加速周转；贵出如粪土，贱取如珠玉；旱则资舟，水则资车。

第一条论证了供求关系对商品价格的影响，如果一件商品的市场情况是“有余”，也就是说供大于求，它的价格必然贱，反之如果“不足”，那它的价格必然很高。第二条说供求关系对商品价格影响背后的原因，任何商品如果价格昂贵到了极致，那么未来必然会走下坡路，反之，任何商品如果价格便宜到了极致，那么未来也必然会走上坡路。这条原则从今天的蔬菜市场就能看出来，同样一种蔬菜的价格总是低几年、高几年，原因就是当它便宜的时候，菜农们都不愿意去种它，几年后必然就会导致供不应求，价格就会提高；而当价格提高的时候，菜农们又会蜂拥种植，这又势必导致供大于求，价格又会跌落。

第三条其实是几千年来工商业的基础经营之道，把产品低价格买入，高价格卖出，这样做的速度越快，资金周转得越快，盈利就会越多。任何资本经营都需要原始资金，也就是所谓的“本金”，这个本金的数量是固定的，任何一个人或者一个企业都不可能有无限的本金。用本金买来的东西再加价卖出去，这就会产生利润。有些人总是想等到货物的价格到了最高点才出手，这样赚取的利润才最大，其不知想要实现利润最大化的正确方法是应该利用有限的本金多次买卖，这样多次的利润加起来会大大超过一直等到货物的价格涨到最高点的时候一次性出手的利润。这个在今天的证券市场中表现得最明显，当一只股票迎来长时间的上涨期，也就是所谓“牛市”的时候，低价时候持有，但一直等到最高价格才卖掉的那些人赚的并不是最多的，而波段操作的人才赚的最多，因为股票在上涨的过程中不可能每天都是上涨，一定会涨涨跌跌，这样分开几次操作的人，才能将利润最大化。这也就是计然所说的“加速周转”的道理。

第四条是提醒商人在做生意时的态度和原则，商品就是商品，任何商品即便是闻名世界的奢侈品对于商人来说也不是什么好东西，只是赚钱的工具。那么，商人在做生意的时候就绝对不能对商品有偏见，不能带有个人感情色彩。出于对商品的个人喜好，该卖的时候不卖掉，不该出手的时候急于出手，这都是不行的。计然提出的这第四条直到今天依然是适用于商人们的准则，收藏是收藏家们干的活，商人只负责倒买倒卖，再喜欢的东西只要价格合理，就应该果断出手。

第五条其实是在说明预判市场先机的方法，计然的表达很简单，旱的时候就买下大船，涝的时候就买下车辆。表面上仿佛违反市场原则，但其实这才是商业操作的真理。首先，天旱的时候，没有几个人会想到买船，这个时候船只的价格就会很低；反之经常下雨，人们就不会想到买车，车的价格就很低。这个时候应该遵循贱买的原则大量买入。其次，通阴阳之道的计然深谙阴阳消长的道理，没有什么是永远不变的，当天旱了一段时间就必然会迎来大雨，当大雨连日一段时间，必然也会雨过天晴。旱后大水，就需要船只，旱时低价采购的船只就可以卖个好价钱，而水后大旱自然也就需要车辆，涝时采购的车辆就可以贵卖出去。道理很简单，可有人很奇怪为什么计然以车和船来比喻这样一个商业道理。不要忘记，计然是在为身处今天浙江省境内的越王勾践出谋划策，浙江这个地方一直到今天也是“七山二水一分地”的地理状况，在春秋时期自然也是如此，这样的地理情况几天大雨就可能阻碍陆路交通，人们出行或者商队出行需要依靠船只；相反如果几天大旱，可能就要收起船只改为比较节省人力的陆路运输了。

越国在越王勾践、大夫范蠡、文种、计然等人的努力下，短短十几年的时间就从战后的荒凉恢复到了极其强盛的状态，甚至远远超过了他们曾经达到的巅峰。越国越是强大，勾践的心中就越按捺不住复仇的火焰，可是，无论勾践怎么着急，他也要等待，等待着吴国露出最大的破绽，自己再给吴国致命的一击。

六、灭顶之灾：上了越国的当

就在越王勾践忙着重整朝政、恢复国力、繁衍人口、训练军队的这个过程中，吴王夫差当然也没闲着。从攻破郢都到夫椒之战，吴国达到了历史上从未有过的辉煌，虽然阖闾在战争中去世，但接班的夫差很快就为父亲报了仇，俘虏了越王勾践。至夫差六年，夫差放走勾践，越国完全臣属于吴国，再也没有与吴国抗衡的能力。夫差每年从越国得到大量的贡品，也是乐在其中，这个小弟已经彻底被自己收服，永远不用再担心南方的战场。西面，夫差借着伐陈的借口，在战场上干掉了楚昭王，楚国也彻底没落，完全够不上威胁。从此，夫差彻底将战略目标转向中原各国，他希望自己可以完成父亲的遗愿，最终率领吴国冲出蛮夷的疆界，入主中原，成为“中原霸主”。

夫差十年（前486年），吴国收服鲁国。这个曾经让夫差的祖爷爷吴王寿梦向往的国度，这个象征着文明的礼仪之邦此刻成了吴国的附属品。同年，郳国太子革也和鲁国一同向吴国朝贡，声明与原来的主国齐国断绝关系，转投吴国老大哥的怀抱。

夫差十二年（前484年），吴王夫差遣走一直阻碍他进军中原的吴国重臣伍子胥，率吴国九郡十万大军再加上越王勾践赞助的三千越甲浩浩荡荡地讨伐齐国，与齐国展开了春秋史上著名的“艾陵大战”。这是一次强国与强国的对战，应该说，是春秋史上最为惨烈、规模最为宏大的一战。战争的结果是齐国惨败，可夫差赢得也并不轻松，应该用“惨胜”来形容。这一次与中原强国的对决，令吴国伤了筋骨，勾践意识到这是绝佳的捣毁吴国的机会，遂加大了陷害吴国的力度。

夫差十三年（前483年），天下第一美女西施入吴，从此夫差“爱江山更爱美人”，殊不知“自古红颜多祸水”，美人的外表下可能藏着蛇蝎的心肠。西施在夫差的面前肆无忌惮地施展起了她在越国被灌输的手段，以无尽的温柔衬托夫差的勇猛，这令原本已经无限自大的夫差更加不可一世。西施让本已经过战争伤害的吴国雪上加霜，她迷惑夫差花费大量财力民力修建奢华的宫殿、高台，这其中最有名的，当属姑苏外城的姑苏台。这姑苏台的奢华程度及其所耗费的财力民力，在当时吴国的经济能力下，不亚于秦始皇修建的阿房宫。除了姑苏台，西施还利用夫差好淫的天性，劝夫差修建春宵宫、馆娃阁、灵馆等娱乐设施。这一系列的建造劳民伤财，令本就重战争轻经济的吴国内部更加空虚。

不懂得经济原理的吴王夫差还犯了一个大大的错误，他每次发动战争胜利以后，都只掠夺金银财宝，而不去抢夺人口、耕地。从灭越以后就是这样，虽然最初只给越国留了十分之一的国土，可其他的九成国土夫差也并没去治理。在勾践入吴的时间里，这些土地、人口陷入了无政府状态。所以夫差后来才会那么爽快地把这些土地还给越国。艾陵之战以后，吴国虽然胜利但并没有攻入齐国的主要城池，作为这场恶战的战利品，夫差也只是带走了齐国的一些金银财宝以及战场上齐军的装备。

与楚国的战争也是一样，夫差这个人从没有掠夺土地、人口的想法，他的心目中好像金银财宝就可以直接变化成粮食和军队，可这样的想法在当时的年代和国际形势下是大错特错的。当时的经济并不像今天这么发达，今天两国交战甚至是多国交战，任何一方都可以从其他的国家用现金采购军火。可在春秋时期，国与国一旦开战，很可能出现你拿着金银财宝也换不到粮食的情况，因为在当时的生产力条件下，最重要的战争物资只有两样：粮食和人口，甚至连武器都要排在这两样东西的后面。夫差盲目的膨胀，组织各种大范围战争，却忘记了战争最核心的目的——掠夺土地和人口。这个傻帽只求自己痛快，只掠夺在战争中最没有用处的奇珍异宝。他还没意识到，任何一个国家也不会在自己的粮食、人口还不充足的情况下去和别国换取什么只能看不能吃的金银财宝。

夫差这个大老粗不明白当时的经济原理，可是勾践却明白得很，他的左膀右臂范蠡和计然都是中国商人的老祖宗。此时距离勾践归国已经过去了十年，十年的时间勾践也有些等得不耐烦了，他决定再去给吴国来上柔软的却是致命的一击。他派大夫文种携带大量的金银财宝去找夫差，以越国天气不好，农民收成不佳为借口，向吴国买粮食。夫差还没意识到粮食问题的严重性，见文种带来了这么多好东西，自然乐开了花，想都没想就把万石粮食卖给了越国。文种不仅带着一万石粮食回到了越国，还带来了一个令勾践手舞足蹈的好消息——吴国内部因为借不借粮的问题发生争执，夫差杀掉了吴国唯一的一位明眼人伍子胥。至此，勾践报仇的计划已经是成竹在胸。勾践还有更坏的手段对付天真的夫差，一年以后，他把一万石粮食还给了吴国，当然，他还的是蒸熟了的粮食。蒸熟了的粮食看起来颜色又正，个头又大，吴国人就会拿来当种子，可是已经蒸熟了的种子是无论如何也结不出果实的。这一系列的手段令吴国的经济彻底崩溃，原本富裕的吴国人民此时却到了青黄不接的边缘。

夫差是个自私的人，他这个“王二代”很难体会到百姓和军队的疾苦，此时的夫差还没有意识到一个国家经济崩溃将会产生的后遗症，他还继续他的穷兵黩武，梦想着称霸中原。夫差十四年（前482年），夫差的梦想终于要付诸实践，因为这一年，鲁国国主鲁哀公、晋国国主晋定公在黄池这个地方，也就是今天河南省封丘县一带，约会吴王夫差，举行会盟大典。夫差倾全国部队开往黄池，终于得到了前任霸主晋国的承认，各路诸侯国奉吴王夫差为霸主。可另一方面，就在此时，越王勾践早就磨得锋利无比的一柄长剑悄悄地刺入了吴国的心脏。趁着吴国大部队前往黄池之际，越王勾践亲自率领自己的全部班底，约五万精兵直捣吴国的都城——姑苏。战争进行得无比顺利。我们前面提到过，春秋时期各国边境是不设防的，越国是吴国的臣属国，吴军更不可能在此设下防线。再加上吴国全国的精锐部队约十三万已经随夫差前往黄池，此时的姑苏城只有吴太子友以及他的一万士兵留守。

太子友得知越国军队大举来犯的时候，决定率领军队坚守不出，等待夫差回援。以当时的情况看来，太子友这样的决定无疑是最正确的，姑苏城固若金汤，越国军队虽然勇猛，可缺乏攻城器械，太子友坚守不出挺上个一年半载也没问题，到那时候夫差在黄池的部队早就返回城了。可是王孙弥庸年轻气盛，私下与好友王子地带了五千部队贸然出击，与越军先锋队在姑熊夷展开了激烈的战斗，结果有点令人出乎意料，吴军大胜。这一下太子友也不怕了，有了这一战的鼓舞，他觉得好像不用等待父王回来，自己就可以搞定越国的军队了。于是一天后，他打开城门，亲率一万军队与越军决战。可这一次，吴军不再那么幸运，压抑了十二年的越国人一举全歼了太子友的部队，俘虏了太子友和王孙弥庸。随后，越国的部队开进了姑苏外城，将姑苏城的标志性建筑物姑苏台、馆娃阁、灵馆等一把大火焚烧殆尽。姑苏内城只剩下守将王子地和一千部队，他没有与越军继续作战，而是一面龟缩城中，一面向吴王夫差发送战败的消息。

在此要解释一下吴国贵族称号的问题。在周朝，各诸侯的儿子称“公子”，孙子称“公孙”，只有周天子的儿子才称“王子”，孙子称“王孙”。我们以前提到的公子光、公孙胜这些人都是按照这个称呼而来的。可是到了夫差的时候，夫差不肯再屈居于周天子给予的封号，而是自立为“王”，所以他的儿子们就改成“王子”，孙子们就改成“王孙”了。王子地和王孙弥庸指的便是夫差的儿子和孙子。其实最早一个称“王”的并不是夫差，而是楚国国君，等到后来历史推进到战国时期，称“王”的诸侯国就更多了，于是史书中就涌现出了更多的“王子”、“王孙”。

在黄池的夫差意气风发，父亲的愿望终于被自己实现，成为了名副其实的“中原霸主”。可多年的欲望得到满足的一瞬间，夫差似乎明白了什么，所谓“霸主”不过是一个虚名，而此时自己所率的十三万大军面临着一个残酷的现实，就是肚子填不饱了。勾践耍诈，吴国连年灾荒，十三万大军每天消耗的粮饷是惊人的，此时大军从吴国出发已经四个多月，所带的粮食早已经吃光。迫于无奈，夫差并没有率部队立即回援，而是在归来的途中先灭掉了宋国，这样做第一是为了抢点粮食给将士们填饱肚子，第二也是“新官上任三把火”，夫差要在各诸侯国之间耍一耍霸主的威风。

宋国当然不是对手，被夫差的大军三下五除二就灭掉了，可这样一来也延误了战机。等到夫差的部队拖着沉重的步伐回到姑苏城的时候，距离他们出发的日期已经过去了半年多。看着残破的都城，以及越国军容整齐的五万军队，夫差并没有被激起斗志，反而是向越王勾践求和。夫差这反常的举动可能有三个原因：第一，自己的终极军事目标已经达成，其他的一切对于夫差来说已经不再重要。第二，吴军长途跋涉，又没有充足的粮饷，此时经过一大番周折终于回到了家乡，早已经没有了斗志，而越军则是在吴国的地盘大吃大喝，养精蓄锐地等待了好几个月，此时正是士气昂扬。第三，夫差可能真的打心眼里把勾践当成了兄弟，他认为这位兄弟可能只是想报一下当年的仇，图个心理安慰，并非真想置自己于死地。兄弟既然这么想，自己又是霸主，应该有老大的气度，给兄弟一个台阶下。夫差此时甚至还梦想着作为霸主的自己，以后会有机会号令兄弟越王勾践，与自己一起出兵打天下呢。

总之，夫差向勾践低头了，派出了太宰伯嚭作为使者，出使越军的大营。太宰伯嚭在越国人的眼中已经是位老熟人了，事情办得很顺利，勾践撤兵了。当然，勾践不可能是单纯地给伯嚭一个面子就撤兵了，他考虑来考虑去，自己似乎不应该在此时与吴军对决，毕竟，人家还有十三万军队，真把夫差逼急了，打起来，鹿死谁手还说不定。但退兵当然也是有条件的，这一下越国反客为主，向吴国索要了一系列战争赔偿。

此后，越王勾践又联合了和自己一样对吴国有着血海深仇的楚国，一起骚扰、蚕食吴国。根据《左传》的记载，吴王夫差在称霸以后，除了归途中欺负了一下宋国，再也没有主动发起过任何一场战争，反而是接二连三的成为被攻击的对象。经济衰败、战火不断，再加上精神上的打击，吴国从此一蹶不振，夫差这个王二代也没有勾践那样卧薪尝胆的坚强意志，吴国在被越国和楚国联手夺去了大量土地、人口之后，已经疲惫不堪，很快，吴国军队也不再是当年那支傲视天下的铁师了。

四年之后，夫差十八年（前478年），越王勾践觉得对吴国的蚕食已经差不多，自己已经有了十足的把握战胜吴国，于是，与大夫范蠡、文种倾巢出动，直奔吴都姑苏。夫差在得到战报后并没有选择死守，而是率兵迎敌，双方在笠泽两岸对峙，这便是春秋史上的最后一场大战役——笠泽之战。这场大战勾践出动士兵六万多，夫差则出动士兵五万，双方旗鼓相当。

勾践命令左右两军在半夜于指定位置鸣鼓渡江，等到渡至江心，则停止前进，等待命令。夫差以为勾践的部队要趁夜渡江偷袭，赶紧将部队一分为二，陈列于江边，准备抵御越军的进攻。可实际上，勾践真正的杀手锏是他部队中的六千“君子”。所谓“君子”，是和当年越军的死士类似的近战部队，区别在于这些人都是王公贵族，素质比普通百姓当中选出的士兵要高得多，而且这些人从小习练近战武术。所以“君子”这一战斗编制虽然人数不多，但战斗力是越军当中最强的。

勾践趁着吴军移动，命这六千君子不发出声响，从吴军布防空虚的地方偷偷渡江成功，上岸后秘密接近吴军大营，在吴军没有防备的情况下发动突然袭击。吴军仓促应战，原本在江边布防的军队迅速回救，而越军早已停留在江心的部队就趁这一空当强行渡江，最终把吴军打得落荒而逃。吴军退到没溪，想集合散兵继续作战，没想到范蠡又率部队包抄吴军侧背，展开攻击。吴军数位将领在战场上战死，夫差率残部一万多退回姑苏城。从此以后，夫差再也没有出过姑苏城，因为越军始终有留守部队对姑苏城进行围攻，甚至在姑苏城外建设越城，以长久地包围姑苏城。勾践的目的很明显，他想把夫差困死在姑苏城中。

笠泽之战是我国军事史上的一场著名战役，这一战，越王勾践和范蠡充分地显示出了他们的军事指挥才华，在如此大规模水战中，这是第一次成功的渡江进攻战。范蠡不愧为春秋时期数一数二的军事大家，其使用战术之巧妙，对战局形势把握之精准堪称完美。原本，吴国也有可以与之对抗的将领，而且有两位，一位是英年早逝的孙武将军，另一位当然就是吴国一直以来的头号重臣伍子胥，不知此时夫差对于赐死伍子胥的行为作何感想。

两年后，公元前476年，越王勾践为了麻痹夫差，突然向楚国出兵，遭遇抵抗，越军迅速撤退。勾践这样做的目的很明显，要让夫差以为自己的战略目标并不是只针对吴国。简单的夫差果然上当，一看越国转而攻向楚国，顿时放松了下来，便把自己生命的最后一段时间用来享乐。

公元前473年年底，吴王夫差已经丧失了自己手中最后一根救命稻草，此时的姑苏城内，竟如人间炼狱一般。三年多的围城，姑苏城内的百姓、将士们早就吃光了所有能吃的，这些能吃的东西当中，也包括死人的尸体。夫差毕竟是一代霸主，还是拥有着博大的胸怀，面对此情此景，他选择开城投降。眼看着如今落魄的夫差，铁石心肠的勾践也动了恻隐之心，毕竟，人家虽然凌辱过自己三年，但后来也真心拿自己当兄弟对待。可勾践无论如何也不可能给夫差死灰复燃的机会，他告诉夫差，可以放你一条生路，不过，你只能挑选三百户，随你去太湖中的一个小岛，了此余生。夫差经历了这些年的折腾，仿佛已经看破了这世间的一切，他知道，吴国的衰落都是自己一手造成的。为了那个不切实际的“霸主”虚名，他已经亲手毁掉了太多太多，当“一代霸主”被围困姑苏城，其他的诸侯国只是冷眼旁观，并没有一个国家发动一兵一卒前来救援。最终，一代霸主、梦想家夫差挥剑自刎。

七、越国后记：终步吴国后尘

吴越争霸，是春秋史上一个独立的故事，越王勾践卧薪尝胆，夫差自大，在中国的历史故事中可以说是脍炙人口的。为了保持故事的完整性，从两国初次交锋，到最后勾践灭吴，被划分在这一章之中，所以本章的时间跨度极大。从公元前496年的槜李之战，到公元前473年吴国灭亡，这中间，吴国还发生了很多事情，尤其是夫差在争霸之路上，还有很多精彩的故事，这些会在下一章中从另外一个角度为大家介绍。

公元前473年，越王勾践大仇得报，灭掉了吴国。此后，勾践也开始夜郎自大，仿佛历史总是不断地重演，任何人、任何事都摆脱不了历史巨轮的轮回。勾践灭吴后，还没有回到越国，大夫范蠡就向勾践提交了辞呈，从此泛舟于五湖。至于他是否携美女西施同行，这个大家可以展开自己的想象去大胆地猜测。根据《史记》的记载，他后来还分别化名为陶朱公和鸱夷子皮，以两个不同的身份，在两个不同的地方，成为两个富可敌国的商人。传说他的致富秘诀就是当年“计然七计”当中越王勾践没来得及用的另外两计。总之，这位大智慧者恪守道家的“无为”思想，功成而弗居，最后功德圆满。临走之时，这位智者还给越国的另一位大功臣文种写了一封信，信中的几句话后来成为千古名言：“飞鸟尽，良弓藏；狡兔死，走狗烹。”可是文种并没有听信范蠡的劝告，所以才有了我们前面提到过的文种被勾践赐死的结局。

灭掉了吴国后，勾践开始重蹈夫差的覆辙，带领越国走上了穷兵黩武之路。他北上会齐、晋于徐州，被周元王命为伯，成为霸主，是春秋五霸的最后一位。公元前468年，勾践离开了早期越国的地盘，迁都到了山东半岛的琅邪，这么做的原因可能是不想继续当蛮夷了吧。既然被尊为中原霸主，自己的都城也应该在中原地区。最后，勾践卒于公元前464年，其实算下来，也只比夫差多活了九年。

历史的巨轮从春秋转动到了战国，勾践是春秋时期的最后一个霸主，可讽刺的是，战国七雄齐、楚、燕、韩、赵、魏、秦当中却吝啬地没有留给这春秋最后的霸主一席之地。勾践去世，越国好像再没有了动静，直到公元前333年，历史重演，越国重新臣属于楚。再到公元前222年，一代新的霸主出现，秦国的大将军王翦平定江南，越降秦，秦王在越地设立会稽郡。从此，吴、越这两个诸侯国的地盘就都并入了秦始皇的天下，成为了秦朝的辖区。

第六章

鼎盛：春秋霸主

公元前496年，阖闾兵败檇李，受越国大将灵姑浮一戈重伤而逝世。曾经带领吴国走向强大并且攻占楚郢都的一代英豪吴王阖闾，这一次阴沟里翻了船。设想，假如给阖闾一个重新选择的机会，他绝不会趁越王允常逝世这国丧之际跑去欺负这么一个弱小的国家吧。可惜失败就是失败，错误的选择就要承担惨痛的后果，历史在这方面是公平的，它不会给任何人重新选择的机会。

一、磨刀霍霍：入主中原的野心

公元前495年，阖闾的次子夫差继位。夫差是在心怀血海深仇的情况下即位的，所以在他即位的前三年，脑袋里想的唯一一件事就是灭掉越国，替父亲报仇。三年的休整，日夜不停地训练军队，使吴国的国力在阖闾留下的班底基础之上又有了一个飞跃。至夫椒之战前夕，吴国的军队数量达到十万之众，这在春秋史上是一个惊人的数字。吴国凭借着强大的军事力量，一举消灭了越国，越王勾践以入吴为奴的条件，换取了越国的留存。三年以后吴国放勾践回越。

夫差大仇得报，而且虐待了勾践三年，这比一刀杀死仇人更有快感。夫差在对勾践的折磨中不断膨胀他对实力的渴望。纵观如今的天下形势，传统强国当中晋国已经彻底腐败，多年不间断的权力内战已经把这个国家推向了分裂的边缘；秦国受着地理因素的局限，再加上北方游牧民族势力的不断骚扰也是无暇外顾；楚国经过这几年的休整虽然实力有所恢复，但楚昭王依然受着郢都被破，自己逃亡的阴影影响，龟缩于国内，轻易不发动任何对外战争；只有齐国在山东半岛依然屹立不倒，但在夫差的心里，齐国相比较于晋、楚，毕竟还只是属于二流实力，父亲既然能把楚国都灭掉，如今国力更加强大的情况下拿下齐国应该还是没有问题的。除去这些传统强国，其他的那些弱国、小国更加不放在自己的眼里，如此分析了国际形势以后，夫差有了一个大胆的想法，那就是父亲曾经跟他提起的称霸。成为霸主的事情在今天看来，好像没有什么不可能的了。

夫差开始蠢蠢欲动了，他无法按捺住自己的心情，他想要像当年的齐桓公、晋文公那样，走上那个金字塔的巅峰。但在发动任何战争之前，夫差还是首先做了一件大事——迁都，将都城迁至了姑苏城。

二、野心膨胀：伐陈蔡、服鲁邾

夫差二年（前494年），吴国发动了对越的战争，大胜，几乎灭掉了越国。此后，夫差的野心开始剧烈膨胀，他要让天下所有的人都臣服于自己，尊自己为霸主。夫差的第一个目标是江淮各国，他第一恨越国，因为越王勾践与自己有着不共戴天的杀父之仇，其次恨的就是江淮这些曾经臣服于父亲，现在又因为楚国的复兴而背叛吴国的墙头草。

就在夫差灭越的同一年，他又率大军讨伐陈国，理由是当年阖闾灭楚的时候陈怀公没有来帮忙。强大的吴国不管三七二十一给陈国一顿胖揍拍拍屁股走了，很快又将目标锁定了蔡国。在阖闾伐楚的战争中，蔡国是吴国的盟友，而且在柏举之战中出了很大的力，更重要的，没有蔡国向吴国求援，当年的吴王阖闾也很难找到讨伐楚国的机会。可当吴军被秦军从楚国郢都赶回吴国之后，蔡国就倒了霉。复兴以后的楚国虽然没有胆量找吴国的麻烦，但对于蔡国的报复还是没有丝毫迟疑的。他们趁着吴国对越国用兵之机，联合随、陈、许三国大举进攻蔡国。经过几场激烈的战斗，蔡国的城池、疆土大部分落入楚国手中，最后，国都蔡城被四国联军包围。蔡军一面坚守都城，一面派人向吴国求援，无奈吴国当时正在夫椒与越军决战，无力援助，蔡昭侯只得投降于楚国。楚国答应退兵，但条件是蔡国必须举国迁到江、淮之间，以方便楚国控制，并扶植蔡国亲楚派头目公子驷掌权。公元前493年冬天，夫差搞定越国后，兵强马壮，志得意满，这时候想起了蔡国的麻烦，派大将泄庸去蔡国进行国事访问。泄庸在蔡昭侯的协助下趁夜偷偷将军队开进蔡都，杀死公子驷，重新扶植蔡昭侯，并逼迫蔡国东迁至离吴国更近的州来。州来因为在蔡国故都蔡城的下游，所以又称下蔡。从此蔡国紧紧地团结在吴国周围，彻底被吴国控制。

夫差七年（前489年），夫差放勾践回越的同时，再次对陈国用兵，借口是“复修旧怨”。这一次，楚昭王不再坐视不理，可能也是想一雪先前郢都被破的耻辱，率领部队亲征，赶到楚陈边境的重镇城父与吴军对峙。楚昭王亲自率部队与吴军决战，结果不幸重伤，楚昭王在曾经楚平王将太子建边缘化的那所城父城逝世。临终前要将王位传给与其随行的弟弟们，可弟弟们坚决不答应继承王位。待楚昭王逝世以后，众人封锁消息，将楚昭王的儿子熊章从都城接到城父继位，这便是楚国历史上赫赫有名的楚惠王。

楚国发生了这样的大事，无心再战，挥师撤退。陈国见到这样的形势赶紧转身投入吴国的怀抱，死心塌地地当起了吴国的小弟。这一下吴王夫差得意了，杀死楚昭王这可是件大事，这令夫差更加坚信自己的霸主道路能够成功。

搞定了江淮地区，平定了越国，这样吴国在南方的势力如日中天，吴王夫差终于放心地将目标指向了山东半岛。此时，地处山东半岛的鲁国和齐国情况都不是很好。鲁国内部“三桓专政”，所谓“三桓”是指鲁国的三家卿大夫：孟孙氏、叔孙氏和季孙氏。这三大家族兴起于鲁庄公时代，多年来一直把持鲁国的朝政，彼此又互相内斗，导致鲁国一直强大不起来。此时的鲁哀公在这三桓的眼里完全是个傀儡。面对这样的局面甚至连大圣人孔子都束手无策，被赶出鲁国，在卫国寄人篱下。鲁国只有一个孔子的弟子——子贡还在运用他强大的外交手腕，苦苦支撑着风雨飘摇的政坛。可以说当时的子贡是孔子在鲁国政坛的唯一希望。而齐国方面，中兴之主齐景公已经于夫差六年病逝，其幼子太子荼被公子阳生联手田氏家族杀死，公子阳生即位，是为齐悼公。此举令田氏家族在齐国内部与其他几大家族的斗争中由原本平分秋色的状态中脱颖而出，其欲取齐而代之的野心已经到了半公开化的程度。

夫差八年（前488年），夫差收到臣属国越国数量惊人的贡品后大胆北伐。夫差亲率大军开往缮邑（今山东枣庄），召见鲁哀公向其索要“百牢”的保护费。当时弱国向强国进献贡品以示尊敬是常有的事情，所谓“百牢”就是指我们前面提到过的祭祀时所用的猪、牛、羊各一百头。这在当时几乎是件不可理喻的事情，天子祭祀也不过用十二牢，可吴国只是一个诸侯国，居然要勒索鲁国“百牢”以祭祀，这是大逆不道的。鲁国大夫子服景伯跟吴王夫差讨价还价，说：“祭祀这玩意儿最多就是十二牢，我们给霸主晋国的六卿们也只交十一牢，今天给您破个例，给您一个最多的数十二牢还不行吗？”可夫差是个只靠拳头说话的“蛮夷”，他直截了当地回复子服景伯：“我们就是蛮夷，不要跟我们讲周礼那一套，晋国六卿是个什么东西，你们都给十一牢，如今我们就要百牢，不给就开战。”这一下鲁国害怕了，乖乖地交出了“百牢”的保护费。夫差这样的举动在春秋时期绝对是个奇葩，这个土老帽勒索人家都不知道找个好点的借口，如此行为若在春秋初期绝对是会引起众怒的。可现在是春秋末期，没办法，拳头硬别人就是不敢惹。

吴国还有更加奇葩的人物，夫差这个土老帽索要“百牢”的保护费也就罢了，可是吴国一人之下，万人之上的太宰伯嚭也想借此机会显显威风，他写信给鲁国实际的掌权者季康子，让他来缯邑与自己会面。季康子是个深谙权谋之术的政治高手，他既不想丢面子也不能对这样的要求不予理会，于是就派出自己的得力手下——外交强人子贡前去与伯嚭会面。

伯嚭一看来的是子贡，心里很不爽，就说子贡，你们身为礼仪之邦，主人不出来会客，这是什么道理？这一下被子贡抓住了把柄，因为是夫差索要保护费的时候亲口说自己是蛮夷的，于是子贡就以此事质问伯嚭。这一下子道理都被子贡占了，伯嚭也只好灰头土脸地打道回府。这件事情说明一个问题，放下国家的综合实力不论，单就外交能力而言，吴国与鲁国那是天差地别，鲁国能在那个风雨飘摇的年代苟延残喘，而且身居几个强国之间却能屹立不倒，这很大程度上归功于他们强大的外交手腕。所谓“弱国无外交”的理论用在鲁国身上是不适合的。

子贡将伯嚭发动的这次危机漂亮地化解了，但这件事却给季康子留下了一个印象：吴国看似强大，其实草包不少，没啥了不起，好像自己也没有必要那么怕他们。“百牢”这件事情始终让鲁国人耿耿于怀，不是牲口数量的问题，而是面子的问题。同样一件事有了不同的名字意义就不同，如果夫差不以祭祀为借口，就是要点牲口吃，鲁国肯定慷慨赠送，可是吴王夫差要的就是立威，偏偏就要以祭祀为名，而所求又严重逾越周礼的限制，这令鲁国人很下不来台。就这样，季康子越想心里越憋屈，越想心里越苦闷，终于下了一个大错特错的决定，他要对吴国还以颜色，出兵攻打吴国的小弟邾国。其实邾国非常弱小，确切点说就是一个城市，即今天山东的邹城。这样一个小国原本就是鲁国的附属国，可几年前投靠了更为强大的吴国。自从投靠吴国以后，邾国越来越不把自己这个正牌老大放在眼里，季康子正好借此机会修理修理自己曾经的这个不听话的小弟。

邾国的城池转眼被攻破，鲁军在城内疯狂地掠夺了一天一夜，邾隐公被俘虏，恨得牙根痒痒的季康子把他囚禁了起来。可是大夫茅夷鸿早在鲁国到来之前就逃走了，不光自己逃走，还带着几匹帛和几张熟牛皮逃了出来，而且逃跑的目的地很明确，就是吴国。茅夷鸿带着贡品找到了吴王夫差，向夫差痛斥鲁国人的欺人行径。夫差一听立马火冒三丈，这个鲁国当初交保护费的时候唯唯诺诺，怎么转个身就敢干出这样的事情？这摆明了是不给自己面子。这还得了，一定得狠揍鲁国一顿才能出气，才能给自己争回面子。

这一下季康子的好日子到头了，他一时冲动为了面子问题彻底惹怒了吴国这个流氓老大，他这一错误的决定几乎给鲁国带来了灭顶之灾。夫差九年（前487年），也就是吴王夫差接到茅夷鸿告状的第二年，夫差以为邾国报仇为借口，亲自领兵直捣鲁国。吴军长驱直入，连克鲁国武城、东阳等重镇，鲁国大将公宾庚、析朱钼、公甲叔子同车战死。吴军继续前进，驻军在泗水之滨，直接威胁鲁国都城曲阜。鲁国内部召开大会，商讨如何化解这城下之危。在众人都束手无策之时，鲁国的一个大夫微虎想出了一个自古以来惯用的办法——派死士刺杀夫差。微虎亲自挑选了300勇士，准备亲自率领前去搞刺杀。可谁知就在行动之前，季康子软了下来，他想万一此举不成功，惹怒了夫差，到那时候鲁国很可能进入万劫不复的地步。于是下令阻止了这次行动。

鲁国的刺杀行动被季康子阻止了，没想到消息却传了出来，而且传到了夫差的耳朵里。但想不到的是，这位不可一世的霸主不仅没有被这个消息激怒，反而害怕起来，怕到晚上睡觉也不安稳，睡一会儿还要换个地方，简直是贻笑大方。由此我们也看到了夫差这个人的真实面目，他这个人为了面子可以穷兵黩武，喜欢欺负弱小，但真正涉及自己安危的时候又没了种。他觉得鲁国的暗杀队今晚没来不代表明天还不来，抱着这样的心态，已经占尽优势的吴国又主动找鲁国来和谈。

春秋时期的人们很简单，有时候简单得可笑。这群简单的人们往往能干出令今天的人们匪夷所思的事情。吴王夫差率数万大军伐鲁，离胜利仅一步之遥时居然被鲁国人的一句话就吓得“流产”了。事情出现这样的转机最高兴的人当然是季康子，自己终于不用为一个错误的决定付出惨痛的代价了，于是季康子准备去和夫差和谈，可鲁国偏偏有一个人不乐意，他觉得这样太没面子，这个人就是子服景伯。于是，子服景伯主动请缨，去和夫差谈判。这两人已经是老相识了，上次夫差索要“百牢”的时候，鲁国的接洽人就是子服景伯。

夫差作为谈判桌上强大的一方率先提出了自己的要求：和谈需要建立在让子服景伯跟自己回吴国做人质的基础上，以防止鲁国不会出尔反尔继续派出死士刺杀自己。可涉及个人的人身自由子服景伯当然是死也不会干，他索性强硬到底，他提出，既然是和谈，就要双方平等，我可以随你去吴国，但你吴国也必须派出一位公子来我们鲁国做人质。夫差很生气，竟敢跟我提条件！你们鲁国有什么资格和我们强大的吴国平等？你又凭什么和我的儿子相提并论？这一下子服景伯也火了，反正国家不是自己的，与其现在就跟着夫差回吴国当人质还不如真正打败了以后再说，反正真正负责的也轮不到自己。因此，子服景伯更加强硬，他告诉夫差，你提出的条件我不答应，你同意就同意，不同意就战场上见，别忘了防备着我们的暗杀。夫差听到“暗杀”两个字当场就怂了，算了，要什么人质，和平共处吧！

就这样，吴鲁双方在这么一个“友好”的气氛下签订了吴鲁《莱门之约》，吴国第二次向山东半岛试探性的进攻结束。鲁国人又一次凭借着强大的外交能力保全了自己。鲁国威武！反观吴国，又一次外交失败！白白动用了数万大军，吴王亲征，在战场上拥有强大优势的情况下居然闹了这么个不了了之的结果。难怪夫差这个人在历史上的口碑那么差，这不单体现在他与越王勾践的对比上，如此闹剧的发生令我们不得不怀疑他的个人能力与性格。

至此，吴鲁之间的风波已经平息，不出意外的话，两国都应该风平浪静地度过一段和平时期。可事情偏偏不遂人愿，就在这个当口，风雨飘摇的鲁国又平白无故地招来了齐国的进攻。事情的起因是源自一个女人，俗话说："自古红颜多祸水"，在本书中"红颜祸水"的例子已经不少，这又来了一个。鲁国第一美女季姬是季康子的妹妹，这个大美女嫁到了齐国，是齐悼公的老婆。可夫妻俩拌嘴，季姬一气之下回了娘家，而且还在鲁国有了外遇，给齐悼公戴了绿帽子。齐悼公大怒，就在吴军刚刚撤走不久，派出大将鲍牧领兵攻打鲁国，一路势如破竹，接连攻占鲁国多处重镇，并且派出使臣来到吴国，要求和吴国携手，灭掉鲁国。

原本就没有操守的吴王夫差在鲁国敢死队的恐吓下勉强签订了和约，这时接到齐国的邀请自然是要毁约了，他决定出兵帮助齐国伐鲁。然而鲁国没有让两个强国的计划得逞，他们强大的外交能力再次显现。先把邾隐公放走，再把季姬送回齐国，然后一个劲地赔礼道歉，请求两位大哥原谅自己的错误。季姬回去以后，齐国方面就风平浪静了，齐悼公与鲁国的纠纷本就属于家庭恩怨，没啥了不起的，媳妇回来了也就拉倒了。可另一方面邾隐公就没那么幸运，他是齐国齐悼公的外甥，和齐国很亲近，这一点令一直有野心要伐齐的吴王夫差耿耿于怀，于是借着他在国难期间表现不佳的借口，将他赶下台，软禁在宫内，并扶植太子革执政。

第二年，也就是夫差十年，齐国再次派出孟绰作为使臣，出使吴国，跟吴王夫差说明他们与鲁国的矛盾已经化解，吴国不用再对鲁国用兵。这一下彻底惹恼了夫差。夫差这几年和中原人打交道一直都在嘴上吃亏，没想到这个本来就令自己看着不爽的齐国居然反反复复，好像要让吴国听命于他们。夫差很生气，后果很严重。他告诉孟绰，回去通知齐悼公，我们马上就去齐国当面问一问他，究竟是谁要听命于谁。一直苦于没有出兵理由的夫差这一下终于找到了借口，他决定将伐齐的事情提到日程上来。

齐国和吴国之前所打过的任何一个国家都不同，并不是实力有多强大，若单论实力并不见得比阖闾伐楚的时候楚国的实力强，而是这个国家离吴国太遥远了。战争中一个不可缺少的制胜因素就是补给，吴国要打齐国就要把战线拉到千里之外，可如此做军队运输和补给的问题就很难解决。再有，他以往北伐的道路都是走水路，从长江出发到达东海，再从海上绕入淮河，这样不仅航程长，而且时常会遭遇风浪，充满了危险，如果大规模与齐国作战，这样走显然问题很多。

考虑到这些问题，吴王夫差做了两件大事：第一件是在今天扬州西北角的蜀冈一带重新修缮周长约18里的邗城，作为吴国进军北方的军事基地。第二是开凿邗沟，利用江淮地域的特殊地形，从扬州到淮安挖出一条长达150公里贯通江淮的一条运河，作为运送吴国军队和物资的通道。这是我国，也可以说是世界历史上有确切记载的第一条大型运河。这个巨大的工程从夫差十年开始动工，一直修了三年，虽然在当时劳民伤财，令吴国人民怨声载道，可从长远的角度来看，这条运河便利了我国东部沿海地区的水上运输，为后人修建京杭大运河打下了良好的基石，更使江苏北部的扬州成为我国南方的第一大经济重镇。

吴国这边“磨刀霍霍”，令鲁国的季康子坐立不安。他知道，一旦吴国与齐国开战，吴军北伐，第一个要拿来开刀的必定是鲁国，就算鲁国能够一时抵御吴国的进攻，背后的齐国也很可能趁机再摆鲁国一道。到那时，鲁国这个夹在两大强国中间的弱国势必要承受最为惨痛的代价。想到这，季康子不能再坐视了，他虽然不是心甘情愿，但此时必须在齐国和吴国之间，正式选择一家做自己的大佬，否则就将面临同时面对两个敌人的局面。对比吴国和齐国，从实力上来说，仿佛吴国更强一些，其实吴国还有一个最大的好处，就是吴国人单纯，容易忽悠，夫差好勇争强，一旦自己真的面临危险，去向吴国求救还是比较有把握说服吴国出兵的。另外，齐国本就地处中原，自己没有文化优势，如果投靠吴国，吴国会觉得自己很有面子，中原地区的“文化大佬”都甘心给自己这个“蛮子”当小弟，这是多么大的荣耀。所以一旦鲁国有难向吴国求救，吴国势必会前来帮忙。

想到这些，季康子做好了决定，恰好此时邾国发生了一件大事，让他逮住了一个“拜堂口”的机会。事情是这样的，邾隐公明明被软禁于宫中，不知动用了什么手段逃出了邾国，赶去投奔齐国的舅舅齐悼公。夫差知道后大怒，不等邗沟修完就率大军远征齐国。季康子抓住这个机会大献殷勤，同邾国太子革率兵跟吴国军队会合，拜见夫差老大。鲁、邾的彻底臣服，标志着夫差在中原的霸业正式走向辉煌。这一年是吴王夫差十一年（前485年），吴国历史中重要的一年。

三、圣人高徒：弱国也有外交

夫差率军队会同鲁国、邾国的援军伐齐。三国联军攻打齐国南郊，齐悼公外交政策失败，遭到齐国内部贵族阶层的强烈质疑。齐国五大家族中的田、鲍两族趁机发难，联合起来以毒酒弑杀齐悼公，另立悼公之子壬为国君，是为齐简公。夫差接到消息后被鲁国人教着在军门外号哭三天，以示哀悼。有了鲁国这个小弟，夫差终于不再是蛮子，开始懂礼了。

当然，哭归哭，仗还是要打。哭是因为大家同为周天子的臣子，很多时候还是同宗，所以要悼念一下，但两国交战，这和周天子无关，和是不是亲戚也没有关系，打仗为的是利益，所以这仗该打还是要打。夫差一面假惺惺地装好人，一面派出一支海军偷偷绕道去攻打齐国东部沿海地区。结果齐国人早有准备，吴军被齐国水师伏击，狼狈撤回。夫差偷袭不成，进攻计划受阻，而家里运河还没有完工，怕待久了部队物资也跟不上，陷入了尴尬的局面。还是文化人鲁国给他指了一条明路，借口齐国有丧事，自己不能乘人之危，宣布退兵。夫差的第三次北伐未果。

鲁国虽然投靠了吴国，短时间内可以把心放到肚子里了，但老练的鲁国贵族们知道，想要在这样的天下格局之下长久保持现状几乎是不可能的。原因很简单，第一，地处偏僻的各个后起之秀都有庞大的空间去拓展实力，可自己所处的这块地界儿本身就很难再有什么发展。实力跟国土面积还是关系密切的，没有广大的国土就没有旺盛的人口，没有旺盛的人口就没有充足的粮食和兵源。这个地理位置的硬伤令鲁国无论如何不能强大起来。第二，鲁国人一直都是“文明人”，他们不会也不甘愿像齐国、吴国、楚国那样走上军国主义道路，他们骨子里面还是讨厌、痛恨战争的。可在如今这个天下当中，人人都不再讲礼，而是靠拳头说话，这样的客观事实逼得鲁国这个文明人几乎是走投无路。眼下，靠着跟别人讲道理还能在诸侯国中占有一席之地，可时间长了，这一套早晚有一天会不管用的。第三，周朝政府现在已经彻底形同虚设，以前大家都是中原文明人，周天子一道诏书或多或少各位诸侯还要给面子。可现在“蛮夷”们不断做大，比如夫差这样的大老粗，压根就没见过周天子，他的内心想法是：“吴国的基业是我老子打下来的，我要发扬光大，跟什么周天子有一毛钱关系？”空架子的政府靠不住，自己就更要想办法自力更生。

鲁国人想要在乱世中长久占有一席之地就要彻底改变天下的格局。怎么改变？靠武力鲁国这辈子都别想了，就鲁国那点军队用于防守都守不好，更别提征讨别人了。那还能靠什么？别忘了鲁国最大的本事——外交。

外交是什么？其实就是说话。只不过要有技巧地说，有策略地说，有目的性地说。说话加上技巧、策略和目的性就不能叫做说话了，当然也不能叫唠嗑，应该叫做“说服”。想要改变天下的格局就不能单去说服某一个国家，而是要去说服大家，这个过程就叫做“游说”。谁去游说？当然是拥有着“天下第一舌”的孔门高徒子贡了。子贡在《论语》里面都很能说，更何况面对当时那些国君？

子贡的背景很复杂。子贡可以说是孔圣人最得意的门生，孔子因政治抱负不得施展，多年飘摇在外，而子贡却一直在鲁国政坛坚守。子贡在政治上是鲁国实际的掌权者季康子的拥护者，可内心中却只听从飘摇在外的老师孔子之意。虽然孔子和三桓之间有着激烈的矛盾，但双方也有一点能够达成共识，就是他们都希望鲁国能够在如此混乱的格局中长久生存。在这一个大前提下，子贡为了老师的理想救鲁，也算是为季康子效命，于是他开始了游说诸侯的历程。

当然，促成子贡游说的还有一个大事件。夫差十二年，齐国的权臣、田氏家族的田常为了能够在齐国一家独大，削弱其他高、国、鲍、晏四大家族的势力，指使齐简公派兵攻鲁，理由当然是报仇，报吴国攻齐的时候鲁国也为虎作伥这一大仇。适时，由于孔子高徒冉求在鲁国当官的表现优异，并且一再努力地要求鲁国迎回孔子，所以孔子终于被季康子从卫国请了回来，结束了其将近九年在外漂泊的时光。

齐国大兵压境，鲁国人慌了，季康子、鲁哀公都被吓傻了，只好找孔子帮忙。孔子将门下弟子召集起来开了一次大会，动员大家为了保护自己伟大的祖国行动起来。在孔子及其门人讨论的过程中产生了一个救国的思路，就是派人去游说各诸侯国，改变当今的国际形势，让齐国、吴国两家都不好过，这样他们自然就不会来找事了。子路、子张、子石等人都纷纷主动请缨，可都被孔子拦下，理由是他们的阅历和经验不够丰富，恐怕无法说服各路君主。最后子贡主动请缨，得到了孔子的认可。子贡未带一兵一卒，只身一人朝着齐国出发了。出发之前子贡和孔子达成了共识，此次出发的目的地除了齐国还有其他三个国家：吴国、越国和晋国。此时此刻，鲁国内部还不会有人相信，子贡这一去，天下形势将为之改变。子贡一个人，一张嘴，改变了春秋至战国这一关键历史时期各诸侯国之间的格局，改变了齐、鲁、晋、吴、越五个国家的命运。

子贡来到了齐国，他并没有直接找齐简公，因为他知道，这件事情找国君办不成，他找到了齐国田氏家族的田常。子贡和田常玩了个逻辑陷阱，他告诉田常，鲁国太难打了，吴国才好打，鲁国的城墙又窄又矮，护城河又不深，国君大夫们又愚蠢，这样的国家不好打；相反吴国城墙高大，军队兵强马壮，吴王夫差又是个英雄，这样的国家才好打。这一下把田常说懵了，心说这个子贡不愧是天下第一辩士，不知道他葫芦里卖的是什么药。就在田常努力猜测子贡要表达的含义的时候，子贡点出了田常的内心想法，他说你田常挑拨国君出兵攻打鲁国无非是为了削弱其他四大家族的势力，让他们的实力在战争中受损，如此你好一家独大。这一下子弄得田常暗暗心惊，没想到自己埋藏如此之深的心机竟然被子贡这小子识破了。紧接着，子贡告诉田常，如果攻打鲁国的话，你的计谋不会得逞，因为鲁国太弱小了，即使是灭掉鲁国也不会对其他四大家族产生太严重的影响，相反，他们会依靠着灭鲁这样的赫赫战功耀武扬威，排挤你田家。这样一来你的计策不但不会得逞，反而可能被它给害了。

田常听了，觉得子贡的说法不无道理。以现在鲁国的实力确实达不到令其他四大家族在战争中消耗过大的目的。可是，不打鲁国又为什么要去打吴国？子贡已经想到了田常的前面，他接着告诉田常，吴国以前三番五次主动挑起两国的战争，而且是公认的强大国家，与吴国作战不但能够大大地消耗各家族的实力，而且能够在贵族及百姓当中树立威望，是一举两得的好事。田常越来越赞同子贡的看法，可是要怎么攻打吴国？自己派兵千里迢迢奔袭吴国这显然是不可能的，如果自己真的提出这样的想法肯定会被大家群起而攻之。子贡告诉田常，不用你千里迢迢出兵去讨伐，这件事还是交给我子贡，我负责去把吴兵引来。你只要命令你在鲁国边境的军队按兵不动，等待与吴国军队交锋吧。

子贡的一番伟大谋划令田常佩服得五体投地，他立马按照子贡的要求令正在征伐鲁国的齐国军队停止攻击，按兵不动。子贡再次孤身一人出发，前来吴国。

子贡到了吴国直接找到吴王夫差，他来之前就摸透了夫差的脾气，所以来了就给吴王夫差一顿奉承，说未来的霸主非吴王您莫属。这一下子对了夫差的脾气，立马使夫差对子贡笑脸相迎。虽然夫差没文化，可还是知道鲁国的孔老夫子的，当然也知道孔子的这位高徒，可他没想到的是，这帮只知道读“圣贤书”的呆子也明白自己最终一定会称霸的道理，夫差很高兴。见夫差很高兴，紧接着子贡告诉夫差，称霸的路上首先要收服东部沿海地区，这里最主要的就是三个国家：齐国、鲁国和越国。这三个国家当中应该去打击最强的，扶保最弱的，这样能够让吴王您在世界人民的心目中成为神一般的英雄人物。打击强国说明吴王您的勇猛，扶保弱国说明您的仁慈，这样大家才会从心底佩服您，愿意尊您为霸主。

一番话说得夫差喜笑颜开，不知不觉已经进入了子贡为他设立的逻辑陷阱。这三个国家当中谁是最强的？当然是齐国。谁是弱的？当然是越国和鲁国。越国刚刚从夫椒之战的败果中复苏，经过十来年的发展，现在只能说维持温饱，根本不知道何时才能“步入小康”。而鲁国，早就对吴国俯首称臣，对于这样的“乖小弟”，“老大”当然要对他好，这样才能让别的“小弟”也看在眼里，对“老大”信服，感觉到安全。

想到这，夫差一拍脑门，决定组织军队进行第四次伐齐。子贡的目的达到了，但是他还没有善罢甘休，他还要进一步排除鲁国在外面潜在的危险，他要让所有可能对鲁国不利的国家彻底乱套。离开吴国，子贡又踏上了前往越国的路。

面对越王勾践，子贡采取了与对付田常和夫差截然不同的方法。这一次他直截了当地告诉勾践，他看出了勾践卧薪尝胆的苦心，看到了勾践心中的仇恨以及对复仇的渴望。他告诉勾践，他有个方法可以加速越国复仇的节奏，快速削弱吴国的实力。具体方法是这样的，在来越国之前，他已经去见过夫差，并且成功说服他出重兵攻打远在山东半岛的齐国。越王您应该派出一支军队假意支援吴国，与吴国共同出兵，实则为了摸清吴国军队内部的情况。吴国与齐国一战可能会出现两种结果，如果吴国失败，对吴国来说将会是一个重大的打击，这样就会缩小吴国与越国之间的差距，使越国可以快速超越吴国并最终向吴国复仇；如果吴国胜利，骄傲的吴王夫差必定会继续挥军西进，前去攻打晋国以争取“霸主”的称号，如此一来，越国可以暗地里与晋国结盟，与晋国前后夹击吴国，以报仇雪耻。

如此一番独到见解令勾践眼前一亮，想到“复仇”二字，勾践牙根咬得紧紧的。任何能够帮助他快速复仇的办法都是好办法。他赶紧向子贡请求可以和晋国结盟的方法，子贡当然趁机向勾践卖了个乖，拍着胸脯向勾践保证，自己会去晋国一趟，一定帮你把结盟的事情搞定。

子贡前脚刚走，勾践就派出文种作为使臣前去向吴王夫差请命，自己愿意派出全国上下“仅有”的三千越甲，随吴国军队征讨齐国。骄傲得不可一世的夫差立刻同意，而且对越国这个小弟的忠心有了进一步的信任。

子贡离开越国后，立刻奔往晋国，见到了晋定公。他提醒晋定公，吴国的大军将席卷齐鲁大地，下一步吴王夫差一定会将军队开往晋国，颠覆您的霸主之位。晋定公一听就慌了，没想到当年自己的先人为了对付楚国而培养起来的这个蛮子如今已经强大到这个地步，于是赶紧问计于子贡。子贡开诚布公，建议晋定公当年是怎么对付楚国的如今也可以用同样的方法对付吴国。当年的楚国强大，不可一世，随时有入主中原的野心，晋国扶植了其背后的吴国，牵制住了楚国，保住了晋国霸主的地位。如今吴国做大，晋国应该同样扶植其背后的越国，何况越王勾践本就怀揣着强烈的复仇之心。如此，有越国牵制吴国的力量，晋国得保太平。

晋定公十分赞赏子贡的见解，决心要帮一帮越王勾践，培养一个新的蛮子出来以牵制住老蛮子。如此，子贡完美地完成了自己此次游说诸侯的任务，靠着一张天下无双的嘴巴，存鲁、乱齐、破吴、强晋并且最终令越国称霸，天下间局势大变。有人奇怪，子贡是儒家的大学者，是孔圣人最得意的门徒，可这一番游说的过程很明显属于尔虞我诈，动用的全部都是阴谋伎俩，完全没有体现出儒家提倡的“仁义礼智信”。难道孔门这第一贤徒只是个伪君子，其本质是个阴险小人？甚至有人凭此攻击儒门，认为儒家所提倡的那些东西不过是说说而已，连圣人门下第一高徒都做不到基本的仁、义、信。殊不知，儒家思想之所以能够成为中国两千多年以来第一治国思想，为历代君王所用，其最为核心的内容应该是热爱自己的国家才对。如果连国家都不复存在，国破人亡，儒家门生还谈何“仁义礼智信”呢？到那时，再伟大的“仁义礼智信”也都没有了用武之地。子贡的此次游说，是站在国家的大立场出发的，仔细体会，子贡在这一番游说的过程中内心应该也是充满了痛苦的。他为了保存自己的国家，很可能导致其他的国家及其人民陷入战火之中，可被逼无奈，在那样一个混乱的年代，想要保存自己的国家就必须那样做。从国家的大立场去看，子贡所做的一切是伟大的，尽管他还没有伟大到像墨家那样，能够站在全人类的幸福角度去看问题。但事实就是这样，太过伟大的，往往就不接地气，没有市场，墨家的思想尽管伟大，却没有在历史当中站得住脚。

四、英雄陨落：伍子胥被赐死

子贡离开吴国后，吴王夫差像被洗了脑一样立马要对齐国出兵，可这样的决定遭到了一个人强烈的反对，这个人就是曾经带领吴国走向辉煌的第一重臣伍子胥。伍子胥看清楚了子贡的用心，他坚信，越国始终是埋伏在背后的一颗定时炸弹，一天不把勾践消灭彻底，吴国就一天不能有向北进军的计划。伍子胥强烈地反对遭到了夫差的厌恶。本来，自打夫差上位没多久，由于两个人性格上的极大差异，伍子胥在夫差心目中的地位就已经赶不上伯嚭了，现在这样一闹，夫差对伍子胥的印象更差。如今的伍子胥在吴国，就像今天一个富裕、挥霍的家庭之中的省吃俭用的古稀老人，遭到儿女们的质疑和不解。而夫差本人，就像是那些不懂得老人苦衷的儿女。

这一次刚刚被子贡这个天下第一辩士洗完脑，再加上越国文种提出的彻底臣服、协助出兵的请求，吴王夫差已经飘飘然了。他坚信自己是勇猛的，是仁义的，他的铁师讨伐齐国是一支正义之师，是要拯救那些弱小的国家于水火的举动。而且，对于战争，夫差抱定了必胜的信念，前面三次出兵都没有结果，如今运河已经开凿完毕，天时地利人和都站在自己这一边，齐国已经完全不被自己放在眼里了。越是这样想，对于伍子胥的“陈词滥调”就越生气，夫差决定要教训教训这个伍子胥，给他来个下马威。

其实伍子胥一直以来都是坚定的灭越派，从夫椒之战中吴国几乎灭越的时候，伍子胥就强烈反对接受越国投降，勾践在吴的三年中，伍子胥也一直想劝夫差杀掉他，直到勾践回到越国，伍子胥更加巴不得他露出点马脚，夫差好趁机灭了他。伍子胥有着这样强烈的灭越想法不是没有道理的，越国的地理位置与吴国紧紧相邻，地理条件、风俗民情等方面都与吴国接近，这样的地方吴国完全可以划为己有。把越国吞入自己的版图有很多的好处，可以加速人口的增长，可以加快经济的繁荣，可以拥有更多的军队等。相反，如果劳师动众地出兵去攻打北方国家，即使胜利也都只是“面子工程”，中原地区的地理情况、民风民俗等与吴国有着巨大的差异，管理吴国的方法不适合管理中原诸国。这样，即便是动用全国兵力费死劲打败齐国，想要将其吞并也是不可能的，因为吴国人无法治理齐国，他们一没有人，二没有方法。如此看来，即便是攻克了齐国的都城，也不过像当年攻克楚国一样，一顿挥霍，然后回来，人家只不过是口头上给你一个“霸主”的认可。所以伍子胥坚决反对费力不讨好地去做这种没有意义的事情。

可伍子胥的“实用”主义此时恰恰碰上了夫差的“梦幻”主义，夫差做梦都想那些中原的大国国君尊称自己一声霸主，他觉得人生意义就应该在于此，他不需要什么实际的钱啊、粮啊、兵啊之类的，甚至，女人都不是最重要的，他最想要的就是面子。而伍子胥认为，人为了面子而活就是跟自己过不去，你在别人眼中怎么样和你自己实际上怎么样这是两码事，并不是别人看你怎样你就真正是怎样的，面子和里子孰轻孰重还是要看得透彻些。思想严重的分歧，导致伍子胥与夫差的矛盾极度激化，先前夫差被子贡忽悠得浑身血脉贲张，现在又被这个老头往额头上浇凉水，这样的滋味令夫差极其难受。夫差此刻的想法是："伍子胥你离我远点，越远越好！"可尽管讨厌，夫差此刻并没有对伍子胥动杀心，他也知道伍子胥的用心良苦，只是此时自己无法接受。于是他只是想伍子胥离自己远点，别在自己的耳边嚷嚷就行，怎么让他走？夫差灵机一动，大家都是"文明人"，我夫差是，你伍子胥也是，当然，我们的敌人齐国人也是，文明人要有文明人解决问题的方法，即便是战争，也要让它显得文明些。夫差派伍子胥去齐国，去向齐国人下战书！

伍子胥这个无奈啊！我让你打在吴国背后虎视眈眈的越王勾践你不打，偏偏要听子贡的忽悠大老远跑去打齐国。打齐国也就罢了，为了把我支走还要向人家去送什么战书！这样的国家将会何去何从？夫差的下场将会怎样？伍子胥心里很明白，此时的夫差已经走上了一条表面上繁花似锦，可实际上却是通向灭亡的不归路。可是，即便是看到了，伍子胥也没有办法，以他在吴国的身份根本不可能像其他的卿大夫那样离开吴国去别的国家当官，因为他对这个国家的感情实在太深厚了。当楚国一脚踹开自己一家的时候，是吴国给了自己重生的机会，甚至还给了自己复仇的机会。伍子胥即便能力再大，想要凭借一己之力破郢都，鞭尸楚平王都是不可能的事情，没有吴国，没有吴王阖闾，自己的大仇不可能得报。看在死去的吴王阖闾的分上，自己也不可能一走了之，再者说，吴国本来就像是自己的孩子，吴国之所以能够强大与自己的呕心沥血有着密切的关系。所以对于伍子胥来说，他对吴国的感情是复杂的，是深厚的，他不可能离开这个既像是自己的孩子，又像是自己的恩人的国家，去帮助其他的国家做事。既然不能做出这样的事情，自己就只能听命于此时的吴王——自己的老战友、老主子阖闾的儿子夫差的调遣。

伍子胥预测到了吴国的将来，可自己又没有任何办法将之改变，这样的感觉是痛苦的。痛苦之余，伍子胥还算清醒，他没有忘记要保存住自己的血脉，于是，在前往齐国之前，伍子胥悄悄地带上了自己的儿子伍丰。为什么要带上自己的儿子？如今的吴国已经不安全了，夫差既然能够对自己忍无可忍而支开自己，也说不定会对自己痛下杀手。到那时，如果儿子伍丰在身边必然会遭到迫害。可如今吴国和齐国开战，伍子胥为什么不把儿子送到其他的国家，而偏偏要选择齐国呢？我想这其中的原因有二：第一，伍子胥与齐国鲍氏家族的私交比较好。第二，吴齐两国开战成为敌对国，若是夫差真要灭掉自己，把儿子放到任何一个国家都会被夫差揪出来灭口，唯独身在齐国才是安全的。

伍子胥的这一举动被他此时的政敌——太宰伯嚭牢牢地抓住了把柄，伯嚭以“通敌卖国”的罪名向夫差告发伍子胥的行为。刚愎自用的吴王夫差对伍子胥终于忍无可忍，动了杀心。其实夫差的心情也很矛盾，他并不是不知道伍子胥一切为了国家的心情，只是对他的行为极其反感。可要说杀掉他，夫差也觉得有点过分，毕竟，父亲就是在他的扶持下才能顺利即位，自己的太子之位也有赖于这位老臣。但是，不杀他又应该怎样对待他？伐齐的心意已决，以伍子胥如今的状态，自己还能放心让他带兵去征战沙场吗？带着如此复杂的心情，夫差终于一狠心，他要杀掉这位对吴国含辛茹苦的老臣。面对这样特殊的人，夫差选择的赐死方式也不能和别人一样，他赐给伍子胥当年父亲阖闾所佩戴的一把宝剑，让伍子胥自行了断。

收到了这样一把剑，伍子胥自然是明白了。伍子胥很感慨，也很愤怒。他可能预料到了自己的死，但却没想到这死来得这么快。他恨，恨伯嚭这个小人，挑拨离间，搬弄是非，玩弄政权；恨夫差，不明是非，不辨忠奸，整日生活在梦境，重面子却不重里子；恨自己，无法挽救吴国的命运，自己这一死，吴国灭亡的命运将会无法避免；恨先王阖闾，为何撒手而去得那么快，当年不听自己的劝告硬要去打击弱小的越国，结果一不小心阴沟翻船，霸业告终；恨勾践，这个小人的戏演得真好，轻而易举地哄骗了夫差这个蠢蛋。他感叹，感叹自己曾经痛快地为父亲、兄长和自己报了血海深仇，可最终自己还是含恨而终。他不甘，不甘自己曾经一手辅佐公子光成为吴王，又帮助夫差顺利地取得了太子之位，最终却要被夫差这个“小毛孩”给赐死；不甘曾经被自己同情，苟延残喘如蝼蚁一般的伯嚭，摇身一变成了吴国当中一等一的人物，所受到的重视要远远高于自己，甚至最终“弄死”了自己。他无奈，无奈自己英雄一世，到老居然落得如此下场；无奈自己一手打造出来的“新吴国”，要葬送自己的命运；无奈自己的儿子还没有被栽培起来，伍家终将在自己的手中败落；无奈小人勾践终将走上历史的舞台，灭掉自己一手打造的江山……

怀揣着如此多的恨、感叹、不甘、无奈，伍子胥怒目圆睁，面朝天空破口大骂：“夫差你这个弱智的低能儿，这么简单的道理都看不清楚，被人拿来当枪使。不去除掉越国这个背后的隐患，反而兴师动众去讨伐千里之外的北方霸主齐国，吴国终将灭在你的手上！”他转身告诉家臣：“我死后，把我的眼睛挖出，挂在城门之上，我要亲眼看着越国的大军攻破姑苏！”说罢，挥剑自刎。

一代名臣伍子胥，从此陨落。他的一生，是辉煌的一生，是英雄的一生，是不朽的一生。夫差听说了伍子胥死前的言论很生气，把他的尸体投入江中喂鱼，可伍子胥在吴国深得民心，百姓们害怕他的身体被鱼啃咬，就把大量的粮食投入江中，据说这也是端午节的来历之一。当然，对于端午节的来历民间的主流说法是为了纪念屈原，可实际上最早源于哪里谁又说得清楚呢？伍子胥的死比屈原早了一百多年，而且也曾是楚臣，从这个角度看，说端午节是为了纪念伍子胥也并不是没有道理的。

俗话说性格决定命运，伍子胥得到这样的结果与他鲜明的性格不无关系。伍子胥刚暴、少恩、猜疑，他当初逃往吴国的路上就体现出了他的猜疑，在受到渡江老人无私的帮助后反而猜忌人家会将他告发；面对把自己的口粮交给他救命的“大龄剩女”不知感恩反而害其投江自尽；他报复仇人楚平王的手段令人发指；他面对作为一国之主的夫差总是以恩公自诩，说话不留余地、不讲策略。他这样的性格，碰到一个骄傲自大、刚愎自用的君主，再加上一个极会讨人喜欢的政敌，自然不会有好的下场。所以说，伍子胥的性格造就了他的人生高度，同时也造成了他自身的悲剧。如果方法得当，他原本可以帮助夫差遏制越国的发展，可他的性格在某种程度上促使夫差掉进了越国人的陷阱之中。

后来，吴国人为了纪念伍子胥，给伍子胥修建了祠堂，祠堂所在的山改名为胥山，在今天江苏无锡境内。两千多年以来，伍子胥祠的香火不断，深受当地人敬仰。在今天江苏、浙江一带，还流传着很多关于伍子胥的民间传说，有的甚至将伍子胥神化，这些无不说明伍子胥对吴国所产生的影响是极其深远的。

五、艾陵之战：吴齐两败俱伤

夫差十二年，吴王夫差解决掉伍子胥这块伐齐路上的“绊脚石”之后，征调全国九郡共十万大军，加上越国、鲁国总数不超过一万的援军，向着齐国浩浩荡荡地出发了。五月即攻克齐国境内的博地（今山东泰安一带）与嬴地（今莱芜一带），直逼齐国都城临淄。

与此同时，齐国由国书统率的阻击部队正屯兵汶上，听闻吴军将至，遂与田氏家族田书率领的援兵会合一处，沿淄水而上。5月27日，齐吴两军主力部队在艾陵相遇，爆发了春秋史上战争过程最为激烈的大规模战役——艾陵之战。艾陵是指今天山东省中部莱芜市东北部的丘陵地带。莱芜这个地方自古就是兵家必争之地，早在春秋早期公元前684年，第一位春秋霸主齐桓公就曾经与鲁国在这里进行过激烈的长勺之战，那一次战役，强大的齐国讨伐弱小的鲁国，鲁军沉得住气，按兵不动，抵御住了齐军的三次冲锋，有效地打击了齐军的士气，并最终获得了战役的胜利。此次，齐军将再次在这个地方迎来战争，而且是来自更为强大的吴国的挑衅，结果会鹿死谁手?

首先我们先了解一下双方在此战中的重要将领及军队编制。根据《左传》的记载，吴军方面，主帅当然是吴王夫差，而此时伍子胥已死，副帅必然是吴国的太宰伯嚭。吴军总共分为四个作战部队，上军、中军、下军和右军。夫差亲自指挥中军部队。上军统帅是胥门巢（这个人是第一次出现，也仅在这场战役中出现，名字的来历应该跟吴都城门胥门有关），下军的统帅是夫差的儿子王子姑曹，右军统帅是展如将军。夫差兴师动众讨伐居于山东半岛的齐国，在丘陵地带作战，出动的自然不再是水军，而是太爷爷寿梦曾经向晋国学到的步兵。吴军十万配合了战车千乘。这千乘战车扮演的可是现代军事当中坦克的角色，一方面是冲锋陷阵的主力军，另一方面，战车这种重型武器可以极大地鼓舞全军士气。

齐军方面全军统帅为国书，这个人是齐国五大家族当中国氏家族的头号人物，是我们前面提到过的那位图谋不轨的田常的重要政敌之一。这场战争的发起人可以说一共有三个，分别是田常、子贡和夫差，他们都有着各自的明确目的，对于田常来说，无论战争的结果是胜是败，齐国方面他都是最大的赢家，因为他的目的就是要削弱其他家族的势力。齐军共分为三个作战部队，分别是上军、中军和下军。国书亲自统率中军，上军由高无邳统领，下军则由宗楼统领。除此之外，《左传》中还提到了齐军将领公孙夏、闾丘明等人的名字。齐军也是战车搭配步兵的阵容，参与作战的人数也与吴军相当，多达十万人。

我们前面提到了很多春秋时期和吴国相关的大规模战役，比如柏举之战、夫椒之战。这些战争的规模都很大，可双方军队的力量都有着巨大的区别。柏举之战中吴国军队三万前后打败了楚国数十万的军队，而夫椒之战中吴国投入的军队有将近十万之众，可越国当时全国上下可以拿得出来的军队也不超过三万。吴国由阖闾和夫差分别组织的两次最大规模的战役一次是以少胜多，一次则是恃强凌弱。像今天这样双方旗鼓相当，投入兵力又如此众多的战役，在吴国方面还是第一次。

这场战役的详细过程在明末小说家冯梦龙所著的《东周列国传》中被描写得极为传神，诸位将领的表现令人惊心动魄。但实际上，历史中的战争不可能像小说中描写得那么精彩，战场上个别将领的表现既不可能像小说中那么夸张也不可能起到那么重要的作用。在战场上起决定作用的，还是指挥官的指挥是否得当。

根据《左传》的记载，在战争过程中，首先是由吴国将军展如所率领的吴右军部队击败了由高无邳率领的齐国上军，而由胥门巢所率领的吴国上军部队又被齐国书统领的中军部队所击溃。双方初次交锋斗了个平分秋色，死伤都很惨重，短时间内都无力组织起有效的冲锋。就在这个关键时刻，本打算出来转悠转悠，不真的投入战争的鲁国被夫差想了起来，于是指挥鲁军面对齐军发起了冲锋。可能是由于鲁国最近一直被齐国欺负，鲁国军士们的心中充满了对齐国军队的仇恨，一下便将齐国的阵形冲垮。夫差再亲自率领本来作为预备队，在高处观战的中军向着齐军的方向掩杀过去，大败齐军。

艾陵之战最终是个惨烈的结果，齐军十万部队几乎遭到全歼，而吴军虽然胜利，也损失掉了数万军队。齐国国内高层将领、精英几乎损失殆尽，高、国两大家族在战争中遭受到了极为沉重的打击，从此一蹶不振。而另外两大家族晏氏和鲍氏，也随着族中领导人物晏婴和鲍牧的过世，丧失了与田氏家族叫板的实力。齐国内部的形势经此一役彻底变成了田氏一家独大的格局。几十年后，这个由周武王亲自册封给周朝开国第一功臣姜尚的封地，落入了田氏家族的掌控。而吴国方面，虽然击败了齐国这个曾经的霸主，获得了大量的金银财宝和战场上的战略物资，也获得了夫差梦寐以求的名气，可与战争的损失对比来看，也可谓是得不偿失。

这场战争最大的赢家除了齐国的田氏家族之外，还有两家：一个是策划这场大战的主使人——子贡以及他背后的鲁国，还有就是派了三千军队和吴军走了一圈，了解了吴国军队内部结构和真正实力的越国。

六、红颜祸水：第一个女间谍

与齐国的决战胜利后，吴王夫差在争霸的路上只剩下最后一个对手、一直以来的中原霸主——晋国。经历了艾陵之战的吴国，在战斗力上遭到了损失，即便是穷兵黩武的吴王夫差，也不敢在此刻挑战晋国这个古老的王牌。于是，艾陵之战后，夫差耐着性子修养了两年多。

这两年多的时间里，对于夫差本人来说，发生了他生命中除了争霸事业以外，最为重要的事情，因为越国人把西施送来了。关于西施的传说，有着各种各样的版本，但她之所以有这么大名气，最主要的还是因为中国古代“四大美女”的头衔。相传，勾践为了报复吴国，采用文种所献的“美人计”，命大夫范蠡面向全国挑选美女。范蠡最终在一条小溪边邂逅了正在浣纱的绝世美女西施，据说西施美艳到令溪水里面的鱼都不敢出来看。二人一见钟情，最后范蠡为了国家大事着想，忍痛将西施送去了吴国，侍奉吴王夫差。夫差见到西施便完全沉迷于她的美色中，终日享乐，越来越骄傲自大，最终导致了吴国的覆灭。而当越国最终灭掉吴国以后，范蠡则带着西施泛舟于五湖，二人终成眷属。

西施的形象在传说中是那么单纯、无邪，可历史事实当中的西施，却不可能是那样的。勾践派范蠡给吴王夫差送去美女当然是包藏祸心，不管这样做的灵感是不是来自大夫文种，这其中带有目的性是毋庸置疑的。西施在去吴国之前就知道了自己的使命，所以她在去吴国之前要经历一番严格的“培训”，要学会很多东西。西施只是越国平常百姓家的一个漂亮姑娘，她的出身决定了她没见过世面，思想很单纯。把这样一个女孩子送到吴国去，即便是博取了夫差的欢心又如何实现政治目的呢？所以西施要接受培训，而培训的内容自然是如何掌控一个男人，让他听话。这个培训一定是个巨大的课题，需要西施掌握的东西很多，从行为举止到谈吐，到如何施展女人的魅力，再到整个入吴的计策等。这个培训需要花掉很多时间。为什么？最起码吴国和越国的方言就不一样啊！西施想要去勾引夫差最起码得能和夫差沟通啊。这就要学会吴国的方言，可见这个培训周期有多长。

所以仔细分析起来，西施的原型不可能是传说中的那样，按照此种逻辑推理，西施很可能一开始是个容貌姣好的村姑，经过越国人一番“精心培养”，变成了一个心肠毒辣、祸国殃民、手腕高超的“淫妇”。之所以说她祸国殃民，是因为吴国的百姓确实因她而遭殃。她的出发点是令一个君主不行公事，不理朝政，这从本质上来说与妲己、褒姒等“妖姬”没有什么区别。而说她是淫妇是因为夫差本性好淫，西施能符合他的胃口最起码要满足这一条件。我们实在无法理解古人这所谓“四大美女”的标准是如何确定的。

夫差一定很喜欢西施，这点应该是毋庸置疑的。可要说夫差最后的结局、吴国的亡国和西施有着多么大的关系，恐怕不见得。西施入吴以后，夫差的确大肆享乐，这跟西施有关系但不见得有绝对的关系。西施是在夫差艾陵之战取得胜利，击败了齐国以后来到吴国的，这个时候夫差的心情是什么样的大家可想而知。面对父辈的遗愿，自己已经把所有的铺垫工作都做完，只剩下最后一步讨伐晋国，这使得夫差一定是欣喜无比的。可军队在艾陵之战中的消耗需要时间去弥补，夫差在等待的过程中享享乐应该不能算是十恶不赦。另一方面，夫差在吴国建造了很多大型娱乐建筑，这些建筑也不应该归罪于西施，早在西施来吴国以前，这些建筑就已经动工或是已经建好了。夫差喜欢西施，但真正专门为她而做的恐怕也就是花言巧语，不惜赞美之词罢了。西施还从某些方面鼓舞了夫差，面对自己的心爱之人，夫差争霸的野心应该更强，变得更加“勇猛”。

本文中已经数次出现了“红颜祸水”这种事，历史上这样的事情也比比皆是。可红颜真的有祸水的能力吗？对于这个问题，鲁迅先生提出了自己的看法：“我一向不相信昭君出塞会安汉，木兰从军就可以保隋；也不相信妲己亡殷，西施沼吴，杨妃乱唐的那些古老话。我以为在男权社会里，女人是绝不会有这种大力量的，兴亡的责任，都应该男的负。但向来的男性的作者，大抵将败亡的大罪推在女性身上，这真是一钱不值的没有出息的男人。”

晚唐诗人罗隐曾写了一首名为《西施》的诗，可谓意味深长：

家国兴亡自有时，吴人何苦怨西施。
西施若解倾吴国，越国亡来又是谁？

七、亢龙有悔：虚胖撑不住辉煌

夫差十四年，对于吴王夫差和吴国来说，是他们历史上最为重要的一年。这一年，夫差领兵北上，与晋国在黄池会盟，成功争夺了霸主之位。同样是这一年，越国偷袭姑苏城，焚烧姑苏台，斩杀吴国太子友，吴国从此走向衰败。《周易·乾》中上爻的爻辞叫做“亢龙有悔”，形容龙飞到天空的最高点，就必然会走下坡路。夫差十四年的吴国，正式进入了“亢龙有悔”的时代。

有关于黄池会盟的发起及原因，在不同的史书当中有不同的说法。《史记·吴太伯世家》的说法是夫差主动出兵北伐，与晋国的军队于黄池相遇才有了会盟，而《左传》的说法则是鲁国的国君鲁哀公组织了这场会盟，他约会晋国国君晋定公、吴王夫差以及周天子的大夫单平公在黄池这个地方会盟。如果说子贡游说晋定公这件事是历史事实，那么鲁国约会晋定公和吴王夫差的说法好像更符合逻辑。夫差与齐国两败俱伤之后，鲁国得了大便宜，这两个强国都不来威胁自己了。鲁国人的想法应该是，最好所有的强国都火并掉，我们就安全了。鲁哀公约会晋定公与吴王夫差明显是没安好心，可这两个家伙偏偏上当。另外，如果说这次会盟来源于吴王夫差率兵北伐征讨晋国的话，双方就不应该在黄池会盟，即便是在黄池相遇，也应该是一场战役而非会盟。

黄池是个地名，这个地方位于今天河南省封丘县西南方向。虽然这个地方在今天不起眼，但在春秋时期可是个重要的地方，这里是中原地区的心腹，处于晋、宋、郑等国交界的地方。黄池的得名还和周朝的一位传奇天子——周穆王有关系。据说周穆王曾经来过这个地方，还留下一首诗："黄之池，其马喷沙，皇人威仪。黄之泽，其马喷玉，皇人受谷。"此地便因为穆天子的这首诗而得名。

不管发起此次会盟的原因是什么，其目的实际上就是吴国与晋国之间要决出一个霸主的名头，可是两国都是"文明人"，互相之间又离得太远，谁也不可能出兵去把谁给灭了，而这两个巨头真打一仗的话彼此的损失都过于巨大，都不愿承担这样的后果。所以才想出了会盟这样一种比较文明也比较聪明的做法。会盟会出现两种结果：一种是夫差向晋定公服软，自己不应该挑衅老大哥的位置，我们不跟您争了。另一种就是晋定公服软，夫差你这个后起之秀果然厉害，我们甘愿奉你为霸主。可怎么让对方服气呢？这个还是要动用军队的，但这种动用军队的方式不是打仗，而是"军事演习"。

夫差倾全国兵力北上，与晋国玩会盟去了，国内只在姑苏城留下太子友、王子地和王孙弥庸以及不到一万人的老弱残兵防守。所谓"螳螂捕蝉，黄雀在后"，夫差前脚率部队刚刚到达黄池，越王勾践就抓住了此次机会率领越国军队攻打姑苏城。

夫差正在与晋国人玩军事演习，听到大后方传来了被偷袭的消息很是愤怒，可愤怒归愤怒，以夫差的性格不可能在这一关键时刻放弃霸业。于是夫差又做了一个令所有人诧异的选择，他杀掉了前来报信的信使以防止消息外泄，并且决定要先争下霸主的名头，再利用这个名头去和越国人谈判。从夫差的这一决定，我们可以看出夫差这个人的单纯。勾践这个小人既然是盘算好了等你率大军出动的时候才去偷袭你，就不可能是小打小闹地骚扰你，而是真正决定好了撕破脸皮、不依不饶才会如此。勾践与夫差有着血海深仇，此刻的报复必然会不死不休。而单纯的夫差却把越王勾践当成了没有大仇恨只有小抱怨的自家小弟，以为回去以后大家聊聊天就能把事情解决掉。抱着这样的想法，夫差并没有着急回师，而是继续与晋国谈判。

尽管夫差这个单纯的家伙有着这样的想法，但大后方传来战争失利的消息也不可能让他完全无动于衷，所以夫差想要快点结束这场军事演习，他决定动用一些“非常”的手段让晋国人快点“服软”。

《国语》当中，对夫差的这次“非常”行动有着细致的描写。夫差将吴军当中最为精锐的三万士兵编成三个阵营，分别是左军、中军和右军。每个阵营一万人，横竖各百人，排成方阵。每行的排头有一名指挥官，名为“官师”，一手抱着用于指挥的金铎，另一手捧着所属士兵的名册。每十行再由一名下大夫率领，立在战车上负责击鼓指挥进攻。每万人方阵则由一名将军率领，坐在高高的战车上，车上插着高高的旌旗以显示其威严。

为这支有规则有节奏的军队配备的装备更加令人震撼：中军所有的军士穿白色战袍，披白色铠甲，树白色旌旗，带白色羽毛制作的箭，远望如白茅花遍布山野，吴王夫差亲自执钺立于中央；左军将士一律身穿红色战袍，披红色铠甲，树红色旌旗，佩带红色羽毛制作的箭，远望如熊熊燃烧的火焰；右军所有将士身穿黑色战袍，披黑色铠甲，树黑色旌旗，佩带黑色羽毛制作的箭，远望如乌云盖顶。

这三万军队的士气仅从书中的描述我们就可以想象到是有多么的威武。夫差这小子也动了坏心眼，他不但弄出了这样一支装备精良、士气高昂的军队，还挑了一个最不应该出现的时间来到了晋国军营大门之前。夫差命令所有将士从吴国大营半夜出发，举着火把，连夜行军，至鸡鸣时分正好来到晋国军营之前。清晨，吴军突然出现，三军金鼓齐鸣，士兵玩命地摇旗呐喊，惊天动地。而此时的晋国士兵还没有起床，这突如其来的军队一下子就让晋国的这些领导们蔫了，基本上处于吓傻了的状态。于是晋国人赶紧承认吴王夫差的霸主地位，自己甘愿退居二线，从此不再与吴国争霸，听从吴国的差遣。

夫差高兴，他终于得到了晋国的同意，正好周朝的大夫也在，派人回周朝请周天子册封吴王。当然，在天子的面前还是不能称王的，王这个名号私下里可以叫叫，但是面对天下共主的周天子，自己最高只能称“公”。“公”就是当时诸侯当中的最高爵位，周天子慷慨地封夫差为“吴公”。

吴王夫差就这样圆了父亲的梦想，堂而皇之地成为了“春秋五霸”之一。这最后的过程还是相对比较简单的，只是吴国全国上下的军民早已为此付出了巨大的代价。可成为了霸主的夫差并没有迎来他的人生高峰，而是立刻急转直下，因为越国人的复仇火焰已经席卷了姑苏城。当夫差回到姑苏，面对疯狂的越国人要求和谈的时候，他还以为越国人是看在自己“霸主”的面子上撤了兵，却不知道越王勾践真正忌惮的是此时夫差手里十余万的部队。

但命运的巨轮一旦转起来就很难停下，此刻的吴国已经被战争“掏空了身子”。越国人搞好了经济，越来越强大，吴国人没有想经济的问题，很快，老百姓吃饭都成了问题。吴国的国力每况愈下，很快就无法与越国抗争。“霸主”的名头最终还是没有挽救吴国的命运，两年以后，当越国的大军再次如潮水一般向姑苏城袭来的时候，“霸主”的名号没能救得了夫差，也没能救得了吴国。除了晋国人还似模似样地感到惋惜，降低伙食标准以外，其他各国没有一个向国都被围的吴国伸出援手。越王勾践率军围城三年，最终于夫差二十三年（前473年）逼得一代霸主吴王夫差自尽身亡。

从成为霸主到最终覆灭，吴国只顶住了这个名号九年的时间。

第七章
终结：吴国衰亡的思考

吴国的灭亡，看似很偶然，好像有很多方法可以避免这一结局的发生。假设吴王夫差在夫椒之战的时候没有接受勾践的投降；假设勾践入吴的时候，不放他走；假设夫差没有带那么多的部队北上参加黄池会盟；假设夫差没有听从子贡的计策，攻打齐国，而是先灭掉越国……好像这些假设都可能避免吴国的灭亡，都可以令吴国拥有更持久的生命力。可实际上，仔细思考，从吴王夫差继位开始，以他的性格和思维方式，以当时吴国的国力和处境，以及他处理国家大事的方式方法来看，他会带领吴国最终走上这条路又是必然的。即便没有勾践，没有越国，夫差也会败于他人、他国之手，吴国的生命力必然短暂。

一、治国能力：政治思想不成熟

自古以来的历代君王，但凡明君圣者，从个人能力来讲绝大多数不需要十分优秀，唯独识人用人的能力必须是一流的。作为君王，高高在上，不可能把国家的大事小情都揽在怀里，亲力亲为。历史上也有这方面的例子，明朝的开国皇帝朱元璋是一个十分热爱权力的人，他取消相制，杀功臣，对官员极其苛刻；他取消了传统上一切可以分担皇帝权力的机构和官职，设立东厂、西厂、锦衣卫这样的密探机构，仅供皇帝本人差遣。可结局怎样呢？面对如此一个泱泱大国，每天发生的各种常规事件以及突发事件，他本人的精力极度旺盛，抱着对国家鞠躬尽瘁的态度还可以应付，可他的子孙们，明朝后世的皇帝们几乎没有一个能够撑起这么大一个摊子，每天处理如此多的工作内容。当然，如果一个君王，他的某一方面的能力特别强也不见得能把国家治理好，比如穷兵黩武的汉武帝，具有高超艺术天赋及艺术鉴赏能力的宋徽宗，“木匠皇帝”明熹宗等。而反观那些个人能力没有那么强，但却能够合理用人的君主，却更能使一个国家长治久安，这样的例子同样也很多，例如汉高祖刘邦、文景二帝等。

夫差这个人虽然生活在遥远的春秋时期，且仅仅是一个诸侯国的国君，所管理的地盘不像后世皇帝所管理的那么辽阔，但他的性格与能力还是决定着吴国的命运的。夫差是个很能打的人，我们看到指挥吴国后期几次大仗的元帅都是夫差本人，想必卓越的战争指挥能力也是夫差能够被立为太子并且成功继位的重要原因之一。阖闾是个能拼能打的君主，他还是公子的时候便经常带兵打仗，成为吴王以后更是组织了吴国历史上最为伟大的一场攻破郢都的战役。一个能打的爹当然喜欢能打的儿子，再加上阖闾身边第一重臣伍子胥也是个喜欢战争的人，所以在选择继承人的时候，这两个人都不约而同地把目光锁定在了夫差身上。

在那个混乱的年代，一个伟大的政权，需要几代优秀的人物共同努力才能打造成功。吴国的发展准确地说是从寿梦开始的。寿梦时期开始大范围开疆拓土，向中原国家学习先进的文化、科技等。从寿梦到阖闾，每代人都在国土面积上有所突破，都或多或少地增加了吴国所控制的地盘。阖闾时期是一个飞跃，他能够打败强楚，不管是必然还是偶然，都说明了吴国的军事能力已经达到了一个高峰。在这样的情况下，阖闾还是选择了一个比自己更能打仗甚至可以说是更热爱战争的继承人，这必然会导致吴国走上一条穷兵黩武的路。聪明的君主如清代的康熙大帝，在晚年国家太平的基础上，要选择一个和自己性格、脾气秉性相反的继承人，因为阴阳消长是亘古不变的道理。康熙大帝一生有过无数的丰功伟绩，擒鳌拜、平三藩、收复台湾、抵制沙俄入侵等，可如此励精图治的君王到了晚年，由于自己已经达到了一个很高的人生境界，而对于手下的人过于仁慈，结果致使政府腐败问题严重。所以他选择了铁面无私、政治手腕强硬的雍正皇帝作为自己的继承人，以刷新吏治，保清王朝长治久安。

阖闾没有这样的眼界，他不知道经历了如此长时间的战争，获得了如此多的地盘以后，国家的土地与人口的比例远远没有饱和，此时的吴国最需要的是休养生息，大力发展农业经济，发展人口，而绝非盲目的没有实际意义的战争和对外扩张。阖闾没有想到这些问题也罢，可以留给夫差或者吴国其他的人去想，但问题是阖闾临终前还给夫差留下了一个“一定要为我报仇”的最高指示。可见阖闾并不是一个成熟的政治家，他的很多行为还是具有相当大的“江湖”成分，做决定也容易拍脑门儿。所以吴国的灭亡也不能全怪夫差，至少还要追溯到他父亲阖闾的身上。夫差继位，本来就是一个错误的人在错误的时间站在了错误的位置上。

二、不辨忠奸：亲小人，远贤臣

夫差是个自负的人，我们无法判断这种自负是否来自他的先天性格，但他的成长环境确实容易培养出一个骄傲自负的人。夫差是个标准的“王二代”，他并不是阖闾的嫡长子，而是次子，以次子的身份荣登太子之位，可以想象出阖闾对他是很偏爱的。阖闾本就是个“暴发户”，他接手吴国的时候，虽然吴国已经经过几代人的改造，实力有所变化，可根本还没有可以和楚国一战的实力。阖闾依靠他上位以后短短几年的时间就攻克了强楚的都城，这样的成就是足以让一个人骄傲到天上的，更何况阖闾本就是受教育程度不高。拥有一个“暴发户”的老爹，从小又得到这位老爹最多的宠爱，这样的成长环境即便天性谦逊有礼，也很容易骄傲自负！

夫差的即位应该说是一个突发情况，因为阖闾的死是谁也没有预料到的。尽管阖闾发动对越国的战争伍子胥先生坚决阻止过，但理由也不是没有把握取胜，而是认为面对这样的弱国，消耗自己的实力不值得，所以即便是阻拦的伍子胥也没想过这场战争会失败，更想不到阖闾会被灵姑浮冲过来一戈砍伤，导致撤兵的时候重伤不愈而亡。这样的意外是全体吴国人都没想到的，当然，越国人也没想到。夫差就是在这样一个突发情况下临时即位。夫差这个时候的年纪最多就是二十岁出头，这样一个年纪，最最疼爱自己的父亲突然去世，压在自己身上的担子不但是要治理吴国，还要消灭越国为父报仇，我们可以想象一下夫差此时的心境。

几乎是在一夜之间，夫差曾经所拥有的生活环境全部变样。虽然有人认为能够继任君主夫差应该很高兴，也确实不排除夫差会在心底里有一些“暗爽”，可当一个正常人突然遭受这一切的时候肯定首先会感到不适应、压力骤增、无法掌控甚至无法面对吧。这个时候面对曾经辅佐过父亲的这些朝中大臣、贵族，夫差会怎样？

伯嚭首先以他强大的演技和耐心像当年征服伍子胥和阖闾一样，俘虏了年少君主夫差的心。当然我们也不能说伯嚭完全是在扮演什么，他本来就是一个极有耐心，而且很讲道理的人。他曾经想借着夫差勒索鲁国的契机，自己也勒索一下鲁国的季康子以中饱私囊，可是面对搬出道理的子贡，他并没有进一步相逼，而是退却了。他还曾经面对苦苦哀求投降保命的越国大夫文种以及他背后的越王勾践，向夫差求情，尽管很多历史评论家说伯嚭这样做是因为贪图财宝，可在那样的时刻，如果伯嚭真的是个地地道道的小人，完全可以拿过越国人的钱又不帮越国人“办事儿”。这么看来，伯嚭也并不能说就是完全的坏人。所以他对夫差的耐心、关怀，以及相对“柔弱”的行为方式，不见得就是完全在表演。正因为伯嚭这样的性格，他在夫差上位的第一时间就争取到了夫差的感情倾向，并使其进一步变成绝对信任，否则夫差不会把太宰的头衔冠到伯嚭的头上。

而另一个前朝元老伍子胥呢？伍子胥是一个刚硬的人，他的性格就像太史公司马迁的评价一样，是一位“烈丈夫”。伍子胥与阖闾的感情一定是最为深厚的，要比伯嚭深得多。所以当阖闾意外遇难以后，伍子胥真的可谓是“怒发冲冠”。他在这样的情绪下，身体力行，着急演练军队为阖闾报仇，却恰恰忘记了，这个时候应该多关怀新君主一些，以争取到新君主的信任。也可能是伍子胥当老大当惯了，以他这样的性格，可能根本没把年纪轻轻的新吴王夫差放在眼里。所以伍子胥总是以强硬的口吻对待夫差，他本身也是一个不注意态度的人。令夫差最为恼火的是，就在他失去父亲、肩挑重担这个感情最为脆弱的时候，伍子胥完全没有安慰夫差要忘掉丧父之痛，反而是时刻在提醒夫差要为父报仇。仇恨，很多时候，可以毁掉一个人，就好像伍子胥本人被怒火烧到了脑子，鞭尸楚平王而惹来千古骂名一样。夫差的性格没有伍子胥那么硬朗，当仇恨充斥他内心的时候，很容易改变他的性格，稍不注意，还可能把他压垮。

世界上所有的事，有原因，就必然有结果。在年少的夫差刚刚继位，心灵还比较脆弱的这段时期，伍子胥与伯嚭两人的做法截然相反，这必然导致夫差在情感上的倾向性。这种倾向和二人的能力、才华无关，而单纯就是感情上的倾向。夫差越来越亲近伯嚭这位看起来仁慈、宽厚、理解自己的叔叔，相反的，越来越疏远伍子胥这位性如烈火且经常带有逼迫性口吻的伯伯。而伍子胥并没有意识到他行为上的问题，在后来辅佐夫差的过程中，这样的行为更是变本加厉，可夫差随着灭越、服鲁等战争的胜利，自身是越来越骄傲，这最终导致二人之间爆发了严重的冲突。

很多了解这段历史的人认为，吴国的覆灭和伯嚭的关系很大，伯嚭在民间还拥有着千古骂名。据说今天江浙一带方言当中的骂人话“泼皮”就是伯嚭的谐音，意思是混蛋、小人。在传统的历史观念当中，伯嚭就是个奸臣，是个通敌卖国的奸臣，夫差任用奸臣，加速了吴国的覆灭，如果吴国坚持重用伍子胥则不会灭亡，伍子胥是大大的重臣，如果他一直得到重用，吴国会在他的治理下越来越强大。伍子胥真的是那么忠心吗？那为什么在艾陵大战之前，他还要把儿子送到敌国呢？或者溯本追源，曾经作为楚臣的他为什么要从楚国跑到吴国，且一心想着复仇呢？伍子胥绝对不是一个法家观念中“君要臣死，臣不得不死”的愚忠之人。

以夫差的性格和越国大夫范蠡、文种等人的能力，即便没有伯嚭，我相信夫差也会接受勾践的投降，只不过，形式上会发生改变。而只要是接受了勾践的投降并且放虎归山，勾践必然会卧薪尝胆，卷土重来。即便是吴国一直重用伍子胥，当阖闾去世后，伍子胥也已经带领吴国走上了军国主义的道路，而这条路终归是一条通往毁灭的不归路。

顺便还要说一说“小人”伯嚭的结果。吴王夫差自杀以后，伯嚭何去何从有着两个不同的版本。根据《史记》的记载，越王勾践俘虏了伯嚭，然后下令诛杀，罪名是“不忠于其君，而外受重赂，与己比周（与越国勾结）也”。但是，根据《左传》所载，伯嚭非但没有被越王勾践杀死，而且还做了越国的太宰。公元前471年，鲁国季肥子还曾贿赂过越国太宰伯嚭。从两本史书提供的不同史料来看，太史公的说法很可能是出自于“一家之言”，而《左传》的记载有名有姓，还涉及了鲁国贵族，应该更贴近历史事实，所以伯嚭这个“小人”在投降了越国以后依然得到了良好的待遇，甚至官位也没有发生变化。孔门高徒子贡还发表过对伯嚭这个人的评价，他说：“太宰嚭用事，顺君之过以安其私，是残国之治也。”意思是伯嚭这个人为了一己私欲而盲目顺从国君的意思，这是对国家不利的行为。子贡的评价还是相对客观而且准确的，但是历史的真相是不见得“小人”就不得善终，伯嚭在某些程度上祸害了吴国，但最终在越国还依然是“吃香的喝辣的”。

三、沽名钓誉：沉迷于霸主虚名

春秋时期的人们很单纯，他们被“周礼”约束了几百年，他们当中很少有尔虞我诈这种被主流社会鄙夷的行为。春秋时期的绝大多数诸侯国都是贵族社会，贵族阶层和平民阶层几乎是永不接轨的两个阶层，平民就是为贵族服务的，拥有权力的只可能是贵族阶层。既然大家都是贵族，大家的物质生活、精神生活都很丰富，大家都没有什么烦心事，那么大家都很珍惜自己的贵族地位。战争，在春秋初期到中期这段时间，不过是贵族与贵族之间交涉、制约的一种手段。没有哪个贵族会真想和对方玩儿命。但总是有挑刺儿的、不遵循周礼的、恃强凌弱的诸侯出现，那么怎么办？在周朝政府还拥有强大实力的时候当然是由周朝政府来调解，可当周朝政府不大行了的时候，就出现了“霸主”这样一个角色。所以说，“霸主”是应当时的“市场”需求而诞生的一个产物，贵族之间都不会真正玩儿命，但却需要制度的监督者，“霸主”就是这样一个监督者、执法者。当然，想要成为这个执法者，首先需要有强大的实力，毕竟有时候解决问题还是需要依靠拳头的。有着这样的“市场”需求，春秋霸主就诞生了，最早一任霸主是齐桓公，而后是晋文公，再后来，秦穆公也曾经强大一时，可以出头调解国际纠纷。

夫差是这些单纯的人当中最为单纯的一个，因为他始终都是个“蛮夷”，他其实并不懂得中原人玩的是什么，他并不十分了解中原人玩“国际政治游戏”的规则。在夫差的心目中，“霸主”这个词汇他最早听父亲提起过，是他父亲的梦想，他继承了父亲的王位，就应该继承父亲的梦想，所以他一心要成为霸主。阖闾知道什么叫霸主吗？其实阖闾也不知道，因为阖闾也是个“蛮夷”。他和夫差都犯了一个毛病，就是去追求一个自己不知道是什么的玩意儿，并且把这个追求视为自己人生的终极目标。这二位如果生活在今天，应该会被定义为“梦幻而不切实际的人”。

其实吴国也好，越国也好，包括楚国，这三个国家都是地处“蛮夷”地区，他们对于霸主真正的含义并不知晓，只是觉得这两个字听起来过瘾，就要去争取，当然，这也符合“蛮子”们的性格。仔细分析霸主的角色，我们不难发现，这只是一个名声，或者叫头衔。齐国也好，晋国也好，秦国也好，并没有因为这个头衔带来太多实际利益，相反，他们要为了维护这个头衔而损失很多。

有人认为，当了霸主，会得到来自很多小国的贡品，这倒是事实，但问题是那些没有当过霸主的强国，不是也会得到附属国的很多贡品吗？否则就不会有囊瓦勒索唐公、蔡公的奢侈品事件了。再者说，在生产力落后的春秋时期，对于一个国家的实力而言，最重要的还是粮食、兵器、工具及人口、土地这些，而贡品往往都是一些奢侈品，这些奢侈品虽然也有价值，但是却很难兑换成同等价值的粮食、兵器、战车。所以说，霸主虽然地位尊崇，但能够得到的实际利益并不多，大不了就是几头用来祭祀的猪、牛、羊，而即便是猪、牛、羊在当时也是有规格限制的，每种不能超过十二头。

可为了维护“霸主”这个虚名，需要付出多少呢？很多！既然大家捧你，抬举你，尊重你为“江湖大哥”，当“江湖”上发生了以大欺小、恃强凌弱这种事情的时候，“大哥”必然要出面“摆事儿”。而出面的时候，如果单靠嘴说一说，事情就能够解决也就罢了，可万一人家不给面子，作为霸主就要出动自己的“国际维和部队”，以帮助弱者，打击强者，伸张正义。这可是件亏本的事情，因为只要发兵就会造成战争消耗，即便只是武力威胁，单是一支军队在行军路上的消耗就很巨大了。春秋时期的第一位霸主齐桓公，曾经千里发兵帮助燕国对抗北戎，援救邢、卫打击狄族，联合中原各国打击楚国，这一系列的行动都是以消耗自己实力换取名声的举动。

单纯的夫差，并没有看到“霸主”背后的这些事情，或者即便他看到了，也觉得这样很威风。他并没有意识到，齐桓公也好，晋文公也罢，他们的治国目标并不是当“霸主”，而是让国家强大。而“霸主”这玩意儿其实是国家强大之后所得到的附属品。举个例子来说，夫差的行为就相当于今天你去超市买了一个大瓶的750ml洗发水，霸主的名号就相当于赠送的那个50ml试用装护发素，你去超市的目的是买那个大瓶的洗发水，而夫差的目的，却是想要得到那个小不点的试用装护发素。可这个试用装只有买洗发水才赠送，不单独销售，于是夫差就逼着自己买了一个大瓶洗发水。结果就很麻烦，买完了之后夫差发现他用这个牌子的洗发水会过敏，而护发素这东西不搭配洗发水却又没法单独用。夫差为了争夺“霸主”虚名，没有考虑到国家综合实力的发展，只是发展军事力量，经过十几年的时间终于称霸，可紧接着，就迎来了灭顶之灾。夫差一直到被围于姑苏，陷入到无法摆脱的困境时才真正意识到，“霸主”这玩意儿一点也不实用，作为霸主，只有你救别人的份儿，别人是不会来救你的。甚至，来救你简直是在侮辱你，强大的霸主怎么会需要别人的军事援助？被人欺负到头上来还能叫霸主吗？

夫差继承父亲的“霸主”梦真正害了吴国，连年的穷兵黩武，老百姓常年承担着国家大规模军事战争的巨大消耗，可以说是吴国走向覆灭的最重要的原因。所以说治理一个国家是需要智慧的，作为一国之主也不能拍脑门子办事，反之，结果是任何一个人都无法承受的。治理国家需要靠文化，需要有成熟的政治理念，所以草根出身的汉高祖刘邦推翻了秦朝的统治以后，由于自己的文化底蕴不够，第一时间考虑的就是采用哪家学说来治理国家。不管是汉高祖所采用的“黄老刑名之学”，还是汉武帝以后各朝各代都采用的“儒学”，都是一套完整的、成熟的政治思想，只有这样才能让一个政权的生命力持久。这也是春秋战国时期中国思想界“百家争鸣”的原因，政体发生了新的变化，随之而来的就是治国的理念也要发生变化。这样才能紧随时代的步伐。换句话说，吴国君主缺少的就是这种完整的政治理念，这个根本的问题只要不发生改变，吴国必然会灭亡。

四、小国寡民：兴易衰也易

春秋时期，一个国家的兴衰可能在很短的时间内发生变化，吴国作为一个弱国，到夫差时期达到盛极，这个过程仅用了不到一百年，而从盛极到灭亡仅用了五年，这个速度尽管我们已经分析了很多原因，但还是让今天的我们觉得有些不可思议。但是纵观春秋的历史，我们会发现很多这类的例子，比如西周末年的郑国，刚刚迁到东边的时候，是非常强大的，可很快就沦为弱国。齐国在齐桓公之前，一直是受到郑国打压的，可就在齐桓公执政的期间，就从一个弱国迅速崛起，成为一代霸主。楚国也是一样，从雄极一时，很快就沦为首都被人攻下，差点亡国，可战后又经历了短短几十年的时间，马上又恢复了国力，甚至达到新的巅峰。这类在短时间内经历大起大落的国家，在春秋时期比比皆是，这背后有着什么原因呢？

一个泱泱大国，它无论是发展还是衰落，这个速度都是相当慢的，一个小国，反而可以一夜暴富，也可以一夜衰亡。春秋时期的各诸侯国还都处在小国寡民的状态，巨型国家如晋国、楚国，人口也就百万上下，像郑国、卫国这样的小国，人口则不会超过十万，还有更加迷你的小国，像郯国、邾国这种，人口也就是一两万，甚至不到一万，其国家规模往往是由一个都城加上附近的一些耕地组成。这样规模的国家，碰到一个英明的领导人，就可以在很快的时间内崛起；当然，如果碰到一个失败的领导人，也可以在很短的时间内衰败。

吴国在春秋时期的那些国家中，也算是规模小的。早期断发文身的时代我们就不提了，就说他最鼎盛的时期，夫差黄池会盟的那一次，夫差动用全国九郡所有能调动的部队，一共组织了大概13万人的军队，这几乎是吴国全部可以战斗的军队了，否则越王勾践打到姑苏的时候，姑苏城内也不会只有不到万人的部队抵抗。吴国从阖闾时期开始军农一体化，农民平时耕种劳作，一遇战事就把活交给家里的女人和孩子，参军打仗。夫差征兵的标准，是从16岁一直到60岁，所有身体健康的男性。这么算来，减去幼小的或者年纪超过60岁的，这次夫差发动的这13万人至少占了全国男性的一半。我们以15万计算，全国男性也就30万，再加上和男性同数量的30万女性，吴国的人口至多也就是60万。如果再往前推到寿梦时期，整个吴国的人口绝不会超过30万，这么点人口，想要发展起来，只要鼓励老百姓都勤快一点，多种点地就可以做到了。到了吴国后期，夫差连续几年不管粮食的收成问题，只知道去打仗，所以一下子就支撑不住了，越王勾践这个时候率军队围城三年，根本不给吴国任何喘息的时间，所以仅仅五年的时间，吴国就从极盛沦为灭亡。

在小国寡民这个大背景的因素下，在技术方面还有很多细小的原因可以分析。从夫差二年，吴国灭掉越国以后，吴国几乎就没怎么打过水战，尤其从北伐开始，吴国人来到中原作战，自然要加紧训练步兵、战车这类的陆战军队。姑且算吴国一直有10万军队，这10万人年龄跨度极大、身体素质也没有要求，所以他们的战斗力可不都是一样的，真正有战斗力的精锐也就是占20%—30%，否则夫差不会在黄池会盟时以武力威慑晋军的时候只出动“三军”。这二三万的精锐部队最大的特征应该就是年龄问题，毕竟“拳怕少壮”是自古以来的道理。所以吴国精锐部队的这两三万人的年龄大概会在18—25岁之内。那么我们可以计算，从夫差八年，吴国开始正式向中原发兵，到夫差十四年黄池会盟，这六年的时间，吴国的精锐部队正好更换了一代人，这一代精锐士兵一直都是打陆战的。而夫差十四年，勾践偷袭姑苏城，勾践一直是以水军与吴军作战的，别忘了吴国这块地方有很多水，姑苏城城中就流淌着胥江水。这样一来打惯了陆战的吴国精锐士兵忘记了自己发家的本事，不会打水仗，这自然导致后期吴越两国交战的时候吴国的战斗力远远不及越国。

这大概也是越王勾践为何嚣张到仅带越甲三万就敢攻入吴国都城，而且当吴国大部队回援的时候依然以强硬的态度谈判的原因之一。

此外，吴国以前的水军之所以那么厉害有很大的功劳要归于伍子胥。伍子胥是个强大的水军将领，陆战方面不敢说，因为毕竟还有孙武这样的战神存在，但仅就水战能力而言，伍子胥在春秋时期必能稳坐“头把交椅”。伍子胥在时的吴国水军几乎没有过什么战败的记录。伍子胥被杀，越王勾践就彻底没有了顾忌，越国打吴国当然是出动水军，一来因为越国陆军的实力的确是不行，二来攻打姑苏城出动水军要比陆军方便得多。伍子胥被杀以后，吴国再也没有其他的优秀水军将领涌现出来，包括夫差自己，水军的作战能力也不见得如何强。所以，这优秀将领的匮乏也应该算是原因之一。

五、穷兵黩武：军国主义不可取

其实从寿梦到夫差，吴国的这些君主们很可爱。他们有理想，有抱负，想要把吴国建设得好，可就是缺少方法。他们从小被人看成是“蛮夷”，不跟他们玩，遭到这样的待遇谁心里都会不舒服。于是他们都想要改变现状，让别人看得起他们。可是怎么样才能让别人看得起他们？他们幼小的、不成熟的心灵认为，要让别人都怕他们，自然就跟他们玩了。可是，后来的事实证明了他们这种想法是错误的，当吴国成为了霸主，虽然一时间耀武扬威，可当首都被围的时候，别人还是不跟他玩。吴国这个可怜的“蛮孩子”为了让别人理他，而走上了一条强大的道路，可这种强大是一种表象的强大，为了征服别人的强大，并不是自己真正的强大。

懵懂的吴王们并没有什么经验可以借鉴，从寿梦到夫差，经历了四代人共七位王的摸索，终于找到一条可以令自己强大起来的方法，那就是锻炼自己的“拳头”。于是，从阖闾到夫差，两代人令吴国彻底走上了一条军国主义的道路。一开始，有着清醒头脑的阖闾，再加上身边的一干重臣，发展军事的同时还能够想着自己的经济、民生问题，毕竟没有饭吃谁也不会跟着你去打仗。所以阖闾打下的家底还算殷实。可到了夫差这个“王二代”执政的时候，他的思路远远没有他老爸那么清晰，他在做决定的时候有着太多冲动的因素，再加上伯嚭这个居心不良的权臣在身边，吴国开始彻底的穷兵黩武。夫差太忙了，从他上任就琢磨着灭越报仇，执政的19年时间，几乎每年都有战争，频繁的时候甚至一年就要经历几场战争。而在这个过程当中，夫差几乎是百战百胜的，最起码没有经历过重大的失败，所以夫差越到后来，投入的兵力就越多，因为他赢惯了，甚至有点输不起了。

短短十几年的时间，吴国几乎对当时所有能与自己较量的国家都发动了战争，对于有些对手的战争还不止一次，比如单是北伐齐国就有四次之多。如此长时间的、不间断的战争就算吴国人再“好勇轻死”，也会吃不消，因为他们毕竟早已进入了农耕时代，居住在城市里，不用再拿战争当饭吃。夫差以这种形式带领吴国走上了叫做“军国主义”的道路。国家的一切行动都是具有军事目的的，国家的一切政策、制度都是以军事化目的为原则。

军国主义的路线对于一个好大喜功、欲壑难填的君王来说，简直就像毒品一样会使他们上瘾，因为以这个路数治理国家会使一个国家快速地兴盛，让君王在有生之年可以拥有更多的“丰功伟绩”。当然，采用这样的方法快速兴盛，会留下很多后遗症，任何违背自然规律的超速发展到最后都会有一定的“反噬”。纵观历史，任何一个走上这条道路的国家，都不会有好的结果。

历史上这方面的案例不胜枚举。灭掉吴国的越国也是因为走上这条道路才迅速崛起。越王勾践仅仅用了十几年的时间就把苟延残喘，曾经沦陷90%国土面积的越国治理成为一个当时的强国，并且一举灭掉了当时的“大佬”。越国在灭吴以后也迅速得到其他国家的承认，成为继吴国之后的新一任“霸主”。勾践风光了九年，这九年可以说是勾践和越国的巅峰，但在这之后，越国便销声匿迹。有的时候会觉得奇怪，雄极一时的春秋最后一个霸主越国，在战国时期怎么几乎没被提起过？大概是因为它的强盛时间太短，对于后来战国的历史并没有产生过什么影响。就这样，越国一点一点地衰落，最后还是被强大的楚国所灭掉。

曾经帮助楚国人把吴国人赶跑的那个秦国，也在两百多年后走上了军国主义的线路，并且最终吞并、统一了各个诸侯国，建立了中国历史上第一个君主专制的国家，于是，那个伟大的王者称自己为“始皇帝”。可这个政权只经历了短短几十年，便灭亡于自己人民的手里。取而代之的汉朝后来也经历了这么一段危险的时期，汉武帝就是个好大喜功的皇帝，他为了彻底消灭匈奴，策划了一个跨世纪的大战役，战线拉开几千公里。战争几乎拖垮了全国的经济，好在文、景二帝给他留下的家产大，没有彻底被弄垮，但西汉王朝的国力也从此转向衰落。

不光在中国境内是这样，在世界范围内，这个规则同样适用。曾经挑起世界性战争的德国和日本，都是因为走上了军国主义的道路才使国力快速兴盛，但战争也是很快以失败告终。当然，他们的战争和我们说的中国古代的这些战争还有着本质上的不同，他们这种以侵略为目的的战争还涉及是否正义以及是否有反人类倾向的问题，因为这些战争确实令世界人民都陷入到了水深火热之中。

总之，任何违背自然规律的超速发展必然会得到“反噬”，军国主义必然是一条灭亡之路。吴国如此，历史上的任何一个政权都是如此。

尾　声

从春秋吴国到今天的江苏

春秋吴国的故事虽然结束了，但在泰伯、仲庸建立政权的这块土地上后来还出现了无数的英雄，发生了无数动人的故事。楚汉相争的西楚霸王项羽生在这里，拥有最强战斗力的八千子弟兵也来自这里。三国时期与魏、蜀三分天下的东吴，最主要的疆域也在这块地方。南北朝时期，南方宋、齐、梁、陈的主要根据地都在这里，一直到两宋时期，春秋吴国的疆域都是主要的经济重心区。这块古老而神奇的土地发生了太多的故事，虽然春秋时期的那个吴国灭亡了，但这里的人们一直延续着吴国的血脉，传承至今。

今天一提到江苏人，人们总会联想到评弹里面油头白面、竹扇轻摇、操着一口吴侬软语的形象，其实，吴地之人性格的变化是在唐宋以后。中国的历史，在唐朝是一个转折。唐朝初期，中国的国力达到了历史上繁荣的顶点，而安史之乱以后，中国的国力又开始一步步衰退。这一点从文化、经济、军事等方面都有体现。宋朝开始，中国的经济重心向南方转移，至元初才彻底完成。宋朝以前，中国的经济、人口重心一直在北方，宋朝南北方对峙，到了南宋，整个宋朝政府收缩到了江浙闽一带的沿海地区，中国的经济、人口重心才真正向东南沿海地区转移。

文明程度会改变一个地区人民的性格。吴国的所在地虽然很早就划入了中国的版图，但一直被中原人认为是蛮夷之地。经济、文化的落后，使这个地区始终保持着彪悍、好武的特点。然而，宋朝以后，这个地方逐渐发达，人们所拥有的财富和受到的教化，使吴地的人们变得彬彬有礼、柔声细语起来。而在这一变迁的过程当中，北方地区受到来自北部草原，诸如契丹、鲜卑等民族文化的影响，反而变得凶猛、彪悍起来。到今天，北方人无论男女，平均身材都要比南方人高大、魁梧，这其实是受到草原民族血统的影响。

中华民族的文明史，浩浩荡荡五千载，这中间的过程尽管潮起潮落，但从今天的角度看来，就是我们的财富。像吴国这样雄极一时的地方性政权，在中国的历史当中数不胜数。虽然它们都如天上的流星一般转瞬即逝，可这其中的每一段故事，每一段传奇，都是作为中华儿女的我们想要了解，不敢忘却的。

图书在版编目（CIP）数据

吴国传奇 / 杨军，高厦著. —北京：中国国际广播出版社，2014.6
（北望长安系列丛书）
ISBN 978-7-5078-3270-9

Ⅰ.①吴…　Ⅱ.①杨… ②高…　Ⅲ.①长篇历史小说—中国—当代
Ⅳ.①I247.5

中国版本图书馆CIP数据核字（2013）第175324号

吴国传奇

著　　者	杨　军　高　厦
责任编辑	聂福荣　赵　晶
版式设计	国广设计室
责任校对	徐秀英
出版发行	中国国际广播出版社（83139469　83139489[传真]）
社　　址	北京复兴门外大街2号（国家广电总局内）
	邮编：100866
网　　址	www.chirp.com.cn
经　　销	新华书店
印　　刷	环球印刷（北京）有限公司
开　　本	710×1000　1/16
字　　数	140千字
印　　张	13
版　　次	2014年6月　北京第一版
印　　次	2014年6月　第一次印刷
书　　号	ISBN 978-7-5078-3270-9 / K · 236
定　　价	28.00元

CRI 中国国际广播出版社　欢迎关注本社新浪官方微博　官方网站 www.chirp.cn

图书在版编目（CIP）数据

[illegible]

中国版本图书馆CIP数据核字（2014）第175342号

[illegible]

开　　本　710×1000　1/16

[illegible]

版　　次　2014年[illegible]月　北京第一版

印　　次　2014年[illegible]月　第一次印刷

书　　号　ISBN 978-7-5078-3270-9

[illegible]